LOS RENDIDOS

SOBRE EL DON DE PERDONAR

José Carlos Agüero

LOS RENDIDOS
Sobre el don de perdonar

IEP
INSTITUTO DE
ESTUDIOS
PERUANOS

Serie: Lecturas Contemporáneas, 20

© IEP Instituto de Estudios Peruanos
  Horacio Urteaga 694, Lima 11
  Telf.: (51-1) 332-6194/424-4856
  www.iep.org.pe

© José Carlos Agüero

  ISBN: 978-9972-51-497-5
  ISSN: 1026-2699
  Impreso en Perú

  Primera edición: febrero de 2015
  Primera reimpresión: mayo de 2015
  Segunda reimpresión: julio de 2015
  Tercera reimpresión: febrero de 2016

  3000 ejemplares

  Hecho el depósito legal
  en la Biblioteca Nacional del Perú: 2016-02031

  Registro del proyecto editorial
  en la Biblioteca Nacional: 11501131600174

Fotografía de carátula: José Carlos Agüero
Diagramación de interiores y
Diseño de carátula: Gino Becerra
Cuidado de edición: Odín del Pozo

Agüero, José Carlos

Los rendidos. Sobre el don de perdonar. Lima, IEP, 2015. (Lecturas Contemporáneas, 20)

1. VIOLENCIA POLÍTICA; 2. ENSAYOS; 3. MEMORIA; 4. SENDERO LUMINOSO; 6. VÍCTIMAS; 7. ESTIGMA; 8. CULPA; 9. PERÚ

W/19.02.06/L/20

A la memoria de

Silvia Solórzano Mendívil y José Manuel Agüero Aguirre
(1945-1992)   *(1948-1986)*

El silencio que queda entre dos palabras
no es el mismo silencio que envuelve una cabeza cuando cae,
ni tampoco el que estampa la presencia del árbol
cuando se apaga el incendio vespertino del viento.

Así como cada voz tiene un timbre y una altura,
cada silencio tiene un registro y una profundidad.
El silencio de un hombre es distinto del silencio de otro
y no es lo mismo callar un nombre que callar otro nombre.

Existe un alfabeto del silencio,
pero no nos han enseñado a deletrearlo.
Sin embargo, la lectura del silencio es la única durable,
tal vez más que el lector.

Roberto Juarroz

Contenido

Sobre estos textos

La naturaleza de este documento es algo indefinida. Por su forma agrupa relatos cortos, a media carrera entre reflexiones y apuntes biográficos de una época de violencia. Llamémoslos textos de no-ficción, sencillos, para no enrarecer más el entreverado campo de la memoria.

Sin embargo su contenido no es arbitrario. Da vueltas sobre diferentes dimensiones relacionadas con mi condición: ser hijo de padres que militaron en el Partido Comunista del Perú-Sendero Luminoso[1] y que murieron en ese trance, ejecutados extrajudicialmente.

---

1. Sendero Luminoso es el modo corriente como se conoce al Partido Comunista del Perú-Sendero Luminoso (PCP-SL), grupo subversivo que declaró la guerra al Estado peruano en 1980. De acuerdo con la Comisión de la Verdad y Reconciliación (CVR), el PCP-SL cometió actos terroristas, fue el principal causante de la guerra interna, el perpetrador de la mayor cantidad de crímenes contra los derechos humanos y tenía un potencial genocida (CVR 2003).

Largo tiempo llevo escribiéndolos, años. Algunos relatos los compartí en un blog personal, de esos que brindan la falsa impresión de que existes para algún otro que puede leerte.[2] Allí "publiqué" los que eran menos patéticos o me parecía que no generarían demasiadas preguntas. Inútil precaución ante textos que en realidad pasaron desapercibidos.

La mayoría los fui guardando en una carpeta de mi computadora, sin saber si llegaría a compartirlos ni cómo lo haría. En algún momento pensé en sintetizarlos, darles otra forma y reescribirlos con rigor académico. Pero abandoné esta idea. Hay quienes pueden hacerlo con mayor talento. No me sentí cómodo. Reconozco que tampoco capaz.

Pero sí quería compartir, usando un lenguaje que me es familiar y que por ello, siento más personal, algo que para mí es importante y que quizá pueda servir para algo y para algunos.

Por el modo en que se han ido produciendo estos textos se dejarán sentir reiteraciones, también contradicciones o ideas a medio formular. Pero esa es la forma real de este libro. No hay propuestas acabadas, solo aproximaciones que con el tiempo también se han ido modificando. Posiblemente no, esclareciendo.

Este libro está escrito desde la duda y a ella apela. No tiene el ánimo de confrontar las verdades predominantes sobre la guerra interna y las ideas sobre los "terroristas" desde alguna otra versión monolítica, ni otorgar una visión de parte, o proponer una justificación de la violencia apelando a lo complejo de la experiencia de los sujetos para relativizar sus culpas.

---

2.   El blog es Negro Agüero <http://negloaguero.blogspot.com/>.

Pero nadie escribe en vano, aunque no escriba desde la claridad. Creo que hay experiencias que no tienen el valor de salvar a sus portadores de la reprobación, pero que al compartirlas sí pueden tener efectos hacia afuera, morales y políticos, que ayudan a hacer visible lo que se quiere dejar de lado y a desestabilizar los pactos a veces inconscientes con los que damos por natural nuestra realidad, nuestra historia de la guerra y su proyección en el orden del presente.

Entonces puede valer la pena re-mirar a los culpables, a los traidores, a los criminales, a los terroristas, y por contraste también a los héroes, a los activistas, a los inocentes y quizá a los que no son nada, a los espectadores, los que creen que son el público pasivo en este drama. Y revisar nuestro lenguaje, ¿puede este ejercicio tener consecuencias sobre nuestra propia mirada, nuestros recuerdos o el modo en que los hemos construido? No lo sé.

Lo que sí sé es que escribo porque creo que a otros que han vivido situaciones parecidas, que son hijos de terroristas o que, más directamente, han militado en organizaciones subversivas y han sobrevivido, puede servirles que se hable de estos temas fuera de la intimidad de los hogares. Porque hay mucha gente que quizá quiere decir algo, pero tiene menos oportunidad, que está en una situación menos favorable que la mía para hacerlo.

No pretendo representar a nadie. Al escribir lo hago con una única regla, procuro ser honesto, lo hago como si escribiera para mí. Como no soy excepcional, entonces espero que haya algunos que encuentren aquí algún reflejo.

Muchas ideas, reflexiones, intuiciones, seguro las más interesantes, no me pertenecen. Se han ido tejiendo en conversaciones con amigos muy queridos a los que no sé si nombrándolos les hago un bien.

Y sin embargo menciono a unos pocos, con su permiso. A Tamia Portugal, que ha acompañado este proceso desde su agudeza y sensibilidad y en muchos momentos, le dio invalorable soporte. No puedo agradecerle con mayor respeto y cariño. A mis colegas del Grupo Memoria,[3] sobre todo a mi camarada Ponciano Del Pino, siempre alentando nuevas formas de visitar los temas que nos comprometen. A mis queridos amigos del Taller de Estudios de Memoria, que me han brindado su respaldo para pensar temas no tan cómodos siempre acompañado.[4] A Marcus Lenzen, que me animó a escribir algunos de estos primeros relatos cuando ambos éramos notablemente más jóvenes. A Francesca Uccelli, porque en el último tiempo me ha renovado la confianza de que vale la pena insistir en

---

3. El Grupo Memoria fue un espacio de intercambio académico que con el respaldo del Instituto de Estudios Peruanos (IEP) organizó entre 2011 y 2013 más de 50 sesiones para debatir textos relacionados con el campo de estudios de memoria y el periodo de violencia política. Fundado bajo el impulso de Carlos Iván Degregori poco antes de morir, lo animaron: Ponciano Del Pino, María Eugenia Ulfe, Tamia Portugal, Rosa Vera, Ricardo Caro, Vera Lucía Ríos, Sebastián Muñoz-Nájar, Iván Ramírez, Gabriel Salazar, Carolina Garay y José Carlos Agüero.

4. El Taller de Estudios de Memoria (TEM) reúne a jóvenes investigadores de la Universidad Nacional Mayor de San Marcos y desde el año 2007 ha sostenido actividades de promoción y académicas para debatir sobre el periodo de violencia política, sobre todo con los estudiantes. Son sus miembros: María Rodríguez, Katherine Valenzuela, Iván Ramírez, Gabriel Salazar, Erik Ramos, Renzo Aroni, Keyla Barrero, Natalia Yáñez y Madeleine Torres.

este y cualquier intercambio, y que la proximidad, el aprendizaje mutuo y el afecto no pueden nada frente a ninguna distancia. A Goya Wilson, que en un momento clave de duda, llegó a compartirnos sus esfuerzos. Y a Martha Dietrich, por haber escuchado con paciencia en varios inviernos, versiones orales de estas historias, con inteligencia y cariño.

Un agradecimiento especial a Rubén Merino, quien con un breve texto en el colofón contribuye a colocar este libro en contexto, y evitar en lo posible que las miradas se detengan, por mis limitaciones narrativas, en lo anecdótico, lo psicológico o lo meramente testimonial, ayudándome a transmitir que lo personal es el recurso desde el cual hoy encuentro que es más sencillo y legítimo abrir estos temas a lo público.

Gracias a mis hermanos, a los que debo su paciencia y comprensión porque forman parte de este universo y son incomodados por este pasado que no pasa y que por mi hacer, ahora vuelve y se expande hacia los demás.

Y gracias a mis padres, que no son vindicados en este libro, que son recordados para los demás, casi como instrumentos para compartir preguntas y errores. Porque desde este saber endeble, desde esta desposesión de la verdad, tengo la esperanza de que la duda y su modestia puedan invitarnos a abandonar nuestras trincheras y sentir curiosidad por el padecer de los que nos son ajenos e incluso odiados. Porque aunque ajenos, quizá no son necesariamente tan lejanos, quizá un reflejo nuestro y una generación entera mora en esos que son *los enemigos*.

Las situaciones que se relatan parten de mi conocimiento directo en la mayoría de casos, pues tienen que ver con mi familia o con la forma en que experimenté (y aún experimento) las situaciones que la guerra nos trajo. Otras me han sido contadas por sus protagonistas. No pretendo una reconstrucción fiel de mi propio pasado, porque en parte son recuerdos compartidos, y mis hermanos tienen en algunos casos versiones diferentes o variaciones de lo que acá nos involucra, pero sobre todo, porque los hechos son un punto de partida para compartir un significado y algunos argumentos, y si se puede, reflexionar sobre algo tan elusivo como la subjetividad de las cosas públicas. Se han cambiado nombres y lugares para no involucrar en este develar a nadie que no haya sido consultado.

José Carlos Agüero

I. Estigma

*El individuo estigmatizado, ¿supone que su calidad de diferente ya es conocida o
resulta evidente en el acto, o que, por el contrario, esta no es conocida por quienes lo
rodean ni inmediatamente perceptible para ellos? En el primer caso estamos frente a
la situación del desacreditado, en el segundo frente a la del desacreditable.*

Erving Goffman

1

Se aprende a convivir con la vergüenza. Tener una familia que
para una parte de la sociedad está manchada por crímenes,
que es una familia *terrorista*, es una realidad concreta, como
una silla, una mesa o un poema.

La vergüenza se va aprendiendo, se vive de formas muy
distintas. Cuando se es niño las cosas son más sencillas pero
también más hirientes, porque aún no están todas las defensas
preparadas y se es un blanco fácil. ¿Dónde están tus papás?
¿En qué trabajan? No son preguntas difíciles, no son hechas
con mala intención, pero incomodan y desarman, duelen, de
un modo modesto.

Miras para atrás y piensas: no fue tan difícil. La vergüenza
pocas veces fue algo evidente, no hay en el recuerdo rostros
rojos ni manos sudorosas ni burlas. Hay sí un sentimiento de

ser inferior que ensucia los días. No se puede decir la verdad. No poder usar la verdad es algo que quita nobleza. De niño no lo entiendes con estas palabras, pero lo presientes.

"Mis padres están presos, mis padres han sido detenidos, mis padres están escondidos, mis padres están muertos". Explicaciones imposibles de ofrecer pero que podrían haber generado alivio, para dejar a veces de ocultar y actuar una forma precaria de normalidad. Para poder encajar.

Las cosas mejoran cuando pasan los años. Aprendes a manejar las situaciones. Inventas historias que tienen algo de verdad y mucho de fábula. Raramente, decides contar algo a alguien que se muestra capaz de comprender. Un ir tanteando el entorno para ver si los que preguntan serán duros, o fríos o indiferentes.

La vergüenza no es un sentimiento, es algo real, un mecanismo razonable, por eso no se puede evitar. No se trata de un momento de humillación. No es como caerse frente a un auditorio lleno de gente. Esta vergüenza no requiere ser activada. Forma parte de cada cosa que haces y de cómo te relacionas con los demás. Se construye a sí misma por años con cada mentira, silencio, secreto, con cada evasiva, cada relato o con los largos momentos de soledad.

¿A cuánta gente mató mis padres? Saberlo es innecesario. Solo que sea posible plantear esta pregunta en cualquier momento, y que sea válida, es lo que sostiene este tipo de vergüenza.

2

Hay algo más que sostiene este tipo de vergüenza. Lo he vuelto a observar hace poco, en una reunión que organizaron jóvenes de izquierda, anarquistas, estudiantes universitarios, en un pequeño local del centro de la ciudad.

Los jóvenes miraban una película sobre una exsenderista. Ya habían compartido películas parecidas en otras sesiones, buscando cintas independientes que les ofrecieran un punto de vista alternativo al de las ONG[1] o al de la televisión sobre el periodo de violencia política.[2]

Al final conversaban y debatían, mientras comían algunas cosas en un ambiente acogedor, de confianza. Todos coincidían en la importancia que tenía el que, aunque fuese lentamente y desde los márgenes (era una reunión precaria en una casona

---

1. Organismo No Gubernamental (ONG). En el Perú, la propaganda del go-bierno autoritario de Alberto Fujimori buscó con relativo éxito que se con-vierta en sinónimo de institución usada por el terrorismo o conformada por personas que lucran con la pobreza y el sufrimiento de los grupos más vulnerables. En este texto trataremos de su rol como actores que han construido un discurso sobre la violencia política desde el paradigma de los derechos humanos y de su violación, empleando categorías como "per-petrador", "víctima", "culpabilidad" e "inocencia", y que, como en otros países, han sostenido su propia versión de la "teoría de los dos demonios" o "la población entre dos fuegos", lo que las ha dotado de identidad y tam-bién, les ha permitido cumplir con sus roles en escenarios abiertamente hostiles.

2. Poco a poco, hay más películas de este corte, por ejemplo: "Aquí vamos a morir todos" de Andrés Mego (2012), *Sybila* de Teresa Arredondo (2012), *Las Huellas del Sendero* de Luis Cíntora (2013), *Tempestad en los Andes* de Mikael Wiström (2014) o *Caminantes de la Memoria* de Heeder Soto (2014). Curioso que sea desde las películas que algunas preguntas o temas tabú logran un mayor espacio para expresarse.

vieja y herrumbrosa del centro de Lima), "las otras voces" y "la otra versión" de la guerra se conocieran. No eran jóvenes extremistas, más bien eran tranquilos, críticos, vegetarianos, toda una hibridez. Pero aunque sus palabras formulaban una y otra vez que había que hacer caer los mitos sobre la guerra, al mismo tiempo iban creando nuevos mitos sobre los senderistas y sus proezas libertarias, su afán igualitarista, su entrega a causas mayores, su sacrificio personal por el bien de los demás. Y ese altruismo lo celebraban. Pedían que se "recuperara el contexto" en el que habían actuado, para poder entenderlos, ver que lo que habían hecho era política y no solo terrorismo. Y finalmente, humanizarlos.

Me sorprendió lo cerca que estaban sus pedidos de otros que había escuchado recientemente, desde la academia, relacionados con las memorias ocultas y la necesidad de devolver un rostro humano a los senderistas. También con la crítica que se viene haciendo a la construcción de las nociones de víctima e inocencia aplicadas a las personas afectadas por la violencia, pues el uso de estos rótulos quitaría complejidad a los procesos políticos que acompañan los conflictos.

Pero estos jóvenes agregaban una crítica feroz hacia las ONG, a las que consideraban hipócritas por escoger a sus víctimas, por separar entre defendibles e indefendibles, lo que a sus ojos las convertía en aliadas de los poderes establecidos.

Les pregunté si les parecía que había que celebrar un altruismo tan desapegado como el que había mostrado la senderista de la película. Si esa actitud de la que se preciaba esta militante, con orgullo, de desprenderse de la preocupación por su familia o por las personas de su entorno en bien de la revolución no era profundamente instrumental. Y si el recurso de devolverles "contexto" no era una estrategia política disfrazada de intelectual para legitimar decisiones que habían generado mucho daño.

Por largo rato me fueron respondiendo, cada vez con más dureza. Se sintieron atacados, me dijeron neoliberal, pequeño burgués, academicista. También —lo que me resultó más incómodo— señalaron que los estaba acorralando, porque sutilmente los acusaba de ser miembros del MOVADEF[3] y que actuaba como tantos otros cuando se quería tocar el tema de las "otras memorias": recurría a la amenaza velada, a sugerir que en esa casa sencilla del centro de Lima se hacía apología del terrorismo.

Escuché callado, no había querido sonar represivo. Y me pregunté si lo había sido. Si había un modo de preguntar estas cosas sin que el lenguaje ya lleve en sí mismo una carga de condena. Un juicio.

Recordé algún otro momento similar. Y opté por no replicar, para evitar que el lenguaje inevitablemente me traicionara, con esa incapacidad que tiene para decir sin llevar implícito al guardián.

Porque al serlo, al ser guardián de alguna moral superior, se hace difícil escuchar al que tiene algo diferente que decir, porque lo puedes estar obligando a callar o a decantarse por

---

3.   Son las siglas del Movimiento por los Derechos Fundamentales, nombre de un organismo vinculado al PCP-SL que hoy actúa en la legalidad, quiere participar en elecciones, pero no renuncia a la ideología que guió su guerra y tiene como punto de agenda principal la amnistía de sus dirigentes presos. Véase <http://bit.ly/1ElY0UV>.

un discurso políticamente correcto con tal de que cualquier sospecha de terrorismo se aleje de él.[4]

Casi al final, una joven, quizá de unos 30 años, con energía, mirándome de frente, dijo con una voz clara y gestos enérgicos que no tenía vergüenza alguna de sus padres, ¿porque eso es lo que llegaste a insinuar, no?, pues yo no, yo estoy orgullosa de lo que mis padres hicieron al estar en la guerra porque lo hicieron por el bien de los demás. Y el murmullo fue aprobador. Y al poco rato acabó la reunión y nos dimos la mano y me fui.

Esta vergüenza no se sostiene en los sentimientos. No es la vergüenza de la piel enrojecida o las manos sudorosas. Es una institución que implica la renuncia al orgullo, a la creación de mitos, a la seguridad de la herencia familiar. Requiere valorar un lenguaje endeble que dice "puede ser". Requiere aceptar. Sistemáticamente aceptar sin coartadas. ¿Qué?

Que miembros de tu familia, que tus amigos más queridos, tu círculo íntimo, cometieron actos que trajeron muerte,

---

4. Recuerdo haber hecho exactamente eso cuando invité a dos amigos a exponer como parte del Taller de Estudios por la Memoria (TEM) en la Universidad Nacional Mayor de San Marcos en 2012. El tema tenía que ver con nuevas formas de investigar y aproximarnos a la experiencia senderista, sobre todo en las cárceles. El uso de expresiones como "preso político" para referirse a miembros del PCP-SL o del MRTA me hizo sentir que era mi responsabilidad como organizador, teniendo un auditorio de estudiantes de pregrado, señalar que ningún lenguaje es inocente y que tiene su propia genealogía y familia, por lo que el usarlo sin mayor explicación podía generar confusión entre los alumnos que podrían asumir que se trataba de términos de consenso académico. Lo que conseguí fue un momento de incomodidad y que uno de mis invitados se viera obligado a "zanjar públicamente" con cualquier apología del terrorismo. Así pues, sin querer, me convertí en parte de los mecanismos de censura y contribuí a aislar más a mis colegas.

no que solo incurrieron en errores. Requiere aceptar que lo hicieron en uso de su voluntad y no solo como un mandato de su generación rebelde.

Hay que aceptar que sus decisiones implicaron asumir una teoría del daño colateral (sobre la propia familia, el entorno, el barrio, los vecinos, los inocentes que sí existen), y que como en toda guerra los consideraron costos aceptables en función de un bien superior.

Hay que aceptar que por más que el sistema genere injusticias y conflictos sociales, la guerra no es igual a la paz. La guerra fue atroz y brutal, no hay modo de igualarla con la posguerra, pese a las continuidades que aparecen tentadoras como argumentos para borrar toda diferencia entre el pasado y el presente (como la pobreza, la explotación, el racismo...).

Hay que aceptar que padres, hermanos, primos o uno mismo, han sido portadores de esa cadena de razones, voluntades y decisiones. Reconocer todo ello es una renuncia a la autoprotección.

Si no se puede, o uno no quiere entregarse de este modo, entonces no se sentirá vergüenza alguna. Y tampoco sé si esto es una mala posición, pues no creer que esta vergüenza valga la pena, le sirve a muchos. ¿Y por qué no dejar que cada quien enfrente del mejor modo su pelea con pasados tan difíciles?

Así como hace esta joven, de voz clara y firmes convicciones, al igual que otras que la acompañaban en esa sala. La vergüenza no les es funcional, mucho menos al ser jóvenes de izquierda, pues en vez de despojarse de defensas, han levantado motivos para reubicarse en el mundo o cuestionarlo, recuperando una tradición familiar que entonces, así, sí tiene sentido.

3

Una tarde Gonzalo me dijo "ya está, ahora me llamaré Ricardo". No había necesidad de más explicaciones. Lo conocía desde chico, había seguido más bien vagamente y por algún tiempo las discusiones con su madre, que lo increpaba por no estar orgulloso del nombre que le habían puesto. Luego de muchas idas y vueltas y de un trámite pesado, un juez le otorgó el permiso. Lo felicité con cautela.

No sé si me acostumbraré, me dijo. Cosa de tiempo, le dije. Mordía una ramita de manzanilla mirando hacia la calle. De algún departamento vecino llegaba una movida canción del grupo Guinda. Tenía un ritmo alegre pero su letra era de sufrimiento y desamor.

Estuvimos callados largo rato tomando nuestro te sorbo a sorbo en homenaje al nombre perdido, celebrando y lamentando, con sencillez. Sus padres le habían puesto el mejor nombre que pudieron imaginar allá por 1987. El del presidente Gonzalo,[5] su líder. Conocíamos de otros muchachos que habían pasado por lo mismo y nos habíamos reído de eso. Varios Lenin, Mao o Stalin había engendrado el entusiasmo de los jóvenes militantes de Sendero Luminoso. Llegamos a conocer

---

5. Primero camarada y luego presidente "Gonzalo" fue el apelativo usado por Abimael Guzmán Reynoso dentro del PCP-SL.

a un chico llamado FAL, a una chica llamada ILA, ahora ya muerta.[6] Tantos bautizados por la promesa de la revolución.

Nos despedimos, Gonzalo me acompaña hasta la salida del barrio, para que no me roben. "Es que ahora pareces pituco", me dice, burlón, pero cálido. En el paradero le doy la mano, mandamos saludos a nuestras familias respectivas. Lo veo alejarse hacia el mercado.

Ya no es más Gonzalo, eco de un presidente de pesadilla. Ya no tiene esa marca que lo había hecho sufrir tanto. Pero visto así, de espaldas, como cualquier peruanito que va por su pan, como dice el poema de Teresa Cabrera,[7] no se nota su marca invisible ni que ha sido borrada. No se lo ve mejor. No se lo ve completo o incompleto. Solo nosotros no vemos algo que estaba, sobre todo él.

Quizá ese tachar marcará aún más, no solo en las palabras y papeles sino en su recuerdo, una mancha infinita.

_____

6. F.A.L., iniciales de Fusil Automático Ligero, célebre arma del siglo XX, ya obsoleta, pero de uso muy frecuente por los senderistas urbanos. I.L.A., iniciales de "Inicio de la Lucha Armada", una de las efemérides principales del PCP-SL. Esos fueron algunos de los nombres de los hijos de la revolución. No conocí a estos chicos pero algún amigo me comentó de cierto momento en que florecieron las "Noras", en oscuro homenaje a la primera esposa de Abimael Guzmán.

7. El poema dice "amor o madre aguardo / como cualquier peruanito / su forma de pan en el desayuno / u otra presencia / aún más olorosa y divina" Teresa Cabrera, *Sueño de pez o neblina* (2010).

4

Verse descubierto es vivir la vulnerabilidad. En algún momento, en varios momentos, pasa. Un secreto jamás es perfecto, menos estos, tan débiles, estos que están en manos de tantos, desde la policía, pasando por las organizaciones barriales, hasta llegar a los compañeros del partido[8] que constantemente caían presos y eran objeto de tortura. Los secretos públicos son algo bonito de escribir, pero son solo una metáfora. En la vida corriente constituyen pactos imperfectos y momentáneos, flexibles. Como círculos concéntricos donde todos saben, pero a diferente nivel.

Cuando vivíamos en El Agustino nuestros vecinos próximos sabían perfectamente qué hacían mis padres y qué pasaba en mi casa. Los vecinos de la cuadra y la siguiente lo sabían más, pero sin detalles. Los del barrio lo sospechaban. Las opiniones eran variadas. La solidaridad y el pequeño apoyo, la discreta simpatía hacia los que "luchaban por la justicia" y la crítica que prefería mantenerse en voz baja, por temor al partido. Es raro, pero también era claro que nosotros sabíamos que infundíamos temor y lo usábamos para protegernos.

Cuando murió Benito, debimos huir de casa.[9] Días después regresamos por algunas cosas domésticas. Los amigos

---

8.   Los militantes del PCP-SL que conocí jamás se referían a su organización
      como "Sendero", entendían que este era un uso de la prensa. Ellos hablaban de "El partido" o su abreviatura: "El P".

9.   Benito era el apelativo de un integrante del PCP-SL de origen provinciano,
      quizá de Áncash, que frecuentaba nuestra casa mientras vivíamos en El
      Agustino. Era muy querido por mi familia por su gentileza, el cariño con

cercanos nos contaron los detalles del operativo policial y acu-
saron a todos los vecinos que ayudaron en el allanamiento.

Nos señalaron a los que dijeron que sí éramos terroristas,
a los que dieron datos y describieron a las personas sospecho-
sas que visitaban de modo asiduo el lugar. También nos contaron de los que nos defendieron, vecinos que no eran nada
políticos, pero le tenían estima a mi madre y la consideraban
una luchadora social. Ellos impidieron que se robaran todas
nuestras cosas. Unos cuantos cacharros, pero que para nosotros eran importantes.

Era un momento difícil y no estábamos para enfadarnos
con nadie. Además nos parecía normal y predecible la actitud de los vecinos, finalmente debían protegerse. Pero aún recuerdo mi decepción por una vecina en particular. Vivía cerca,
con dos hijitos muy pequeños, en la miseria más terrible. Mi
madre hablaba con ella sobre su relación con un tipo que la
maltrataba, le daba consejos, la trataba como a una sobrina
necesitada de amparo. Con ella no buscó hacer política o in-
volucrarla en nada del "P". Constantemente le compartimos
nuestra escasa comida y llegamos a cuidar de sus bebes.

Ella fue la que nos señaló con más odio. Con rabia. "Esa
mujer es una terruca,[10] es la lideresa", les decía a los policías.
No sé si todo el tiempo que estuvimos ayudándola nos odió.

---

que trataba a los niños y por su timidez. Debimos huir de casa porque era
muy posible que antes de ejecutarlo lo hubieran torturado y en ese trance
cualquiera podía delatar a sus compañeros, o que hubiera sido capturado
junto con otras personas de nuestro entorno. En cualquiera de las dos opciones, la policía podía haber confirmado información sobre nuestra casa
como un lugar de apoyo al PCP-SL.

10. "Terruca" o "terruco" es el modo popular con que se llamó y se llama aún
a los integrantes del PCP-SL. El término ha acabado imponiéndose de un

Tal vez solo quiso existir. Y esa fue su oportunidad. Su
único momento de dejar de ser la última rueda de este coche
horrible de la pobreza. Había entrevisto un nivel más abajo.
Nosotros. Los que además de pobres, estábamos sucios.[11]

5

Un amigo del barrio, de la promoción de colegio de mi hermano, llegó con un recorte de periódico de anteayer a la casa.
¿Es tu mamá? En una página interior, en colores, una mujer
boca arriba tendida en la arena de la playa. Sobre ella un

---

modo tan hegemónico que sirve incluso para denominar no solo a los sujetos
"terroristas" sino a todo el periodo de violencia como "la época del terrorismo" y adquiere mayor sentido como parte de un discurso autoritario-militar
que buscó imponerse como memoria oficial en el Perú, véase entre otros
Degregori (2011).

11. Creo que es pertinente compartir una duda más. Uno de mis dos
hermanos, al revisar estos textos, no coincide con la descripción que hago
de la actuación de la vecina. Mi hermano recuerda que, por el contrario,
ella fue una de las que nos defendió. Lo esencial del cuadro se mantiene:
ante el peligro, los vecinos se debatieron entre acusarnos, defendernos o
hacerse los locos. Yo creo recordar bien y sé que lo importante no es la
fidelidad de un hecho aislado, pero hay una consecuencia en esta duda.
Cuando escribí este episodio lo hice pensando en esta mujer y no otra, no
la vecina dirigente del vaso de leche, o el vecino cínico de la casa de tablas,
no, esta mujer que era la última rueda del coche. Y eso me llevó a contar
de *determinada manera* y a compartir una reflexión. Le di significado a este
evento tomando en cuenta atributos de un sujeto, no solo su conducta.
Pero si no fue ella (aunque creo que lo era) ¿la reflexión se sostiene?
Habría contado más o menos lo mismo, pero quizá, habría sacado otras
consecuencias. Razón para no olvidar nunca que aproximaciones como
las de este libro son pequeños aportes en un proceso lento y complejo
por discutir sobre la violencia. Y deben ser complementos de esfuerzos
mayores de investigación.

cartel en el que se podía leer "así mueren los traidores". En la nota, su nombre y su apellido, cambiados ligeramente, seguramente por negligencia del reportero al copiar el parte policial. Sí, es ella. Esperar a ver qué pasaba, qué reacción.

Lo bueno de esto es que mi madre era una senderista desconocida, no una lideresa, no una de aquellas sobre las que se ha escrito tanto, compañeras cercanas de Abimael Guzmán. Así que su muerte no le importaba a nadie. No hubo grandes titulares. Sí pequeñas notas en la televisión, en los noticieros de la mañana y en algunos periódicos. Una terrorista de segunda. Además supuestamente asesinada por sus propios camaradas.[12] No valía la pena. No era noticia.

Y allí estaba este amigo descubriendo lo invisible. Esperando. Un chico sencillo, pobre, que ahora trabaja duro en su imprenta y mantiene a su familia. Y abrazó a mi hermano. Y nos guardó el secreto. Junto a otros cuatro millones de televidentes que lo vieron pero no.

---

12. Mi madre fue ejecutada extrajudicialmente en mayo de 1992, hasta donde he podido indagar, por agentes del Ejército Peruano. Los primeros meses de 1992 estuvieron marcados por acciones similares, tanto en Lima como en provincias. Puede verse al respecto el *Informe final* de la CVR (2003) o Uceda (2004), entre otras fuentes. El cartel puesto sobre su cuerpo, supuestamente firmado por el PCP-SL, presenta evidencia elemental como para considerarlo falso. Ella fue asesinada de tres balazos y abandonada en una playa del distrito de Chorrillos, luego de ser detenida a la salida de la Universidad Nacional Mayor de San Marcos, donde trabaja en una tienda tipeando en una vieja máquina mecánica de escribir los trabajos de los estudiantes. Fueron varios los testigos que la vieron subir a una camioneta que la interceptó en la Av. Universitaria mientras esperaba el transporte público que debía llevarla a casa.

6

Solo puedo imaginar lo que es estar expuesto al escrutinio público y a la reprobación. Mi familia se mantuvo en el mundo
de los militantes sin cartel. Sus venturas y desventuras no fueron pocas, pero fueron parte de una guerra silenciosa, pequeña, de casas humildes, de chozas de esteras, de barriadas y
conos;[13] guerra de armas siempre escasas y "medios" viejos,[14]
de puntos de apoyo. Muchachos y muchachas senderistas des-
perdigados en innumerables casas de la ciudad, que les daban
cobijo temporal. Nada de grandes batallas ni épicas.

Y los policías en una rutina similar, indagando, acosando,
atrapando, persiguiendo, llegando un minuto tarde, teniendo
éxito algunas veces, igual de desamparados, dejados a su suerte, con familias viviendo quizá en los mismos barrios pobres
que sus enemigos, con armas igual de miserables.

Una guerra tenaz, pero sin trincheras sangrientas ni
alambres de púas, sin fotos en los periódicos sobre fosas en

---

13. Con "cono" se hace referencia a los grandes distritos que crecieron en las
    fronteras de la capital, formados sobre todo por migrantes que llegaron
    de la sierra desde mediados del siglo XX, proceso que se aceleró con los
    desplazamientos forzados generados por la guerra, y que crecieron con
    mucho desorden y pobreza. Hoy son grandes ciudades de la nueva Lima
    Metropolitana.

14. "Medios" era la forma coloquial con que los integrantes del PCP-SL que
    conocí se referían a sus viejas pistolas, revólveres, fusiles o explosivos.
    Cuidar los medios era algo casi sagrado, dada su escasez y el alto costo
    humano que implicaba conseguirlos.

comunidades campesinas,[15] sin partes de guerra ni espectácu-
los. Cada quien contando sus muertos calladamente.

Estos policías tan jóvenes, adolescentes, casi niños. Estos
reclutas del ejército, muchos levados a la fuerza, que ahora
languidecen olvidados en sus pueblos, y estos subversivos, de
su misma generación. Matándose. Esta guerra tiene algo de
guerra de niños que la hace más gris. Como dice el personaje
de *Sin novedad en el frente*, llegamos soñando con nuestros futuros, creyendo en lo que nos inculcaban nuestros maestros,
en los adultos, pero la primera muerte, el primer cuerpo que
vimos destrozado acabó con todo ese orden.

Mis padres y sus amigos eran senderistas del montón.
Pero otros han tenido menos suerte. Por linajes notables, por
notoriedad de sus capturas, por ser extranjeras, por sus altos
cargos. Han vivido años rodeados de medios de comunicación,
de cárcel y de exposición. Ya libres luego de largas condenas,
a muchas les cuesta encontrar un lugar para recomponer sus
vidas. ¿No extrañarán la cárcel? Por lo menos allí tenían amigas.[16] Afuera están rodeadas de odios y del temor de un mundo que las señala, como agentes infecciosos. ¿Se lo merecen?
¿Cómo no merecer por lo menos el recelo, la desconfianza o

---

15. Desde por lo menos 1983, la prensa y los organismos de derechos humanos
    nacionales e internacionales mostraban en crónicas, informes, denuncias
    y reportajes fotográficos evidencias de masacres, torturas y fosas clandes-
    tinas sobre todo lo que venía ocurriendo en regiones de la sierra como
    Ayacucho, Apurímac o Huancavelica.

16. El documental que está por estrenar Martha Dietrich nos muestra algunas
    inquietudes sobre estos temas. Mujeres del MRTA que viven fuera y dentro
    de la cárcel y que han hecho un balance de sus vidas. Con suerte, la pelí-
    cula se estrenará en Lima el 2015.

incluso el resentimiento y el odio si por sus actos hay familias con deudos que extrañar?

Pero ¿basta con decir que se lo merecen y que deben aceptar las consecuencias de sus actos más allá de todo plazo y consideración? ¿Tiene un "tiempo" el perdón, como dicen los académicos que tiene "un tiempo la memoria"[17]? ¿Cómo nos sentiríamos más tranquilos o satisfechos? ¿Con su exilio, su desaparición, su ostracismo, su olvido, su miseria? ¿Es solo esto lo que estamos en capacidad de ofrecer?

7

Algunas películas están circulando, de modo limitado, entre los interesados en los temas de memoria. Algunas biografías, mucho trabajo en la cárcel, sobre todo con mujeres. Parece que el interés por estos temas antes marginales o incluso riesgosos, aumenta.

¿Pero qué piensan de esta representación los representados? ¿Qué sienten de estas aproximaciones hacia sus vidas? Debe de ser duro que no se pueda descansar, que tampoco sientas la legitimidad para protestar o exigir un poco de

---

17. "Tiempos de la memoria" es una frase cada vez más común entre los estudiosos de la memoria para referirse a varias cosas: que es más fácil recordar algo doloroso o complejo cuanto más tiempo ha pasado desde que ocurrió; que las oportunidades para contar con nuevos puntos de vista o voces sobre ese pasado cambian según se reacomodan los interesados por recordarlo, olvidarlo o reinterpretarlo; que no hay un camino unívoco hacia el olvido o el recuerdo. Véase Degregori 2015, y con un tratamiento mucho más detallado e historizado, Stern y otros (2013).

respeto porque ¿con qué derecho reclama alguien que ha perdido todo derecho?

Tantos años y seguir siendo un pretexto para performances banales de aparente comprensión. Todos podemos hablar de estas personas porque nos hace mejores hablar de ellas. Porque puestos a su lado, resplandecemos y se ve mejor nuestra bondad. Porque enfrentarlos desde la seguridad de nuestra ética o nuestra razón o nuestro indudable carné democrático, nos permite zanjar con ellos y reafirmarnos como sus diferentes.[18]

Qué difícil parece aproximarse con ganas de comprender un poco a los enemigos o a los culpables. No para estar de acuerdo, ni para perdonarlos, ni para ganar una batalla ideológica, sino solo con ese fin, comprender sin más, sin recompensas extras, sin premios ni reconocimiento por ser héroes de la empatía. Es difícil porque no genera ganancias sociales. No suma prestigio. Porque si se hiciera así, nadie se daría cuenta.

---

18.   Es lo que creo que hace Teresa Arredondo en su documental *Sybila*. Un ajuste personal y casi egoísta de cuentas con los mitos de su niñez. Pero que al hacerlo no tiene consideración por los estragos que este ejercicio de exposición puede causar en la familia de su protagonista, una familia que no ha tenido que enfrentar fantasmas, sino años de experiencias muy complicadas. Sin duda, la película tiene el mérito de mostrar algunos momentos decidores, de cómo argumenta una mujer del PCP-SL, impaciente y duramente racional. Pero lo hace por medio de una celada, para mostrar qué tan diferente es la directora-narradora. Los artículos que celebran la película también se pasman en este acercamiento aparentemente empático: comprendamos a esta mujer exótica, que nos aleja y nos acerca, que en el fondo nos es incognoscible pero que también parece humana. Pero si el ejercicio fuera intercambiar papeles, ¿sería igual de sencillo escribir así? ¿Con esa autoridad para conceder comprensión e incluso humanidad? Creo que comprender al otro es un poco morir con el otro, entregarse al otro. Pero esto no siempre es posible y ni siquiera debe ser justo pedirlo.

Es diferente a ser empático con los familiares "inocentes". La ganancia allí es casi automática. Por ello florecen activistas, artistas, promotores de memorias, intermediarios culturales ¿No era Todorov el que ya advertía, suspicaz, sobre estos líderes de la memoria y la moral, que aproximándose a las víctimas lo que hacen es construir su propia satisfacción y su estatus como ejemplares?[19]

No importa qué tan pueril, mecánico o burdo llegue a ser este acercamiento a las víctimas "correctas". El acercamiento es celebrado porque es intrínsecamente justo y eso otorga un aura de bien. Hay casos extremos (¿o quizá no son tan raros?) como el de la artista urbana que lleva por todo sitio un molde con la figura de Mamá Angélica y es capaz de reproducir en serie, en cinco minutos, todas las figuras de esta gran mujer allí donde haga falta. O el artista plástico que incorpora en sus collages junto a ekekos, manga y artefactos de la "cultura chicha", rostros de víctimas o cualquier otra iconografía que remita a ellas.

---

19. "La conmemoración ritual no es sólo de escasa utilidad para la educación de la población cuando se limita a confirmar, en el pasado, la imagen negativa de los demás o su propia imagen positiva [...] Se nos dice a menudo en nuestros días que la memoria tiene derechos imprescriptibles y que debemos constituirnos en militantes de la memoria. Es preciso darse cuenta de que, cuando se escuchan esas llamadas contra el olvido o en favor del deber de la memoria, la mayoría de las veces no se nos invita a un trabajo de recuperación de la memoria, de establecimiento e interpretación de los hechos del pasado (nada ni nadie, tanto en un país democrático como en los Estados de la Europa occidental, impide a nadie realizar ese trabajo), sino más bien a la defensa de una selección de hechos entre otros, la que asegura a sus protagonistas que se mantendrán en el papel de héroe, de víctima o de moralizador, por oposición a cualquier otra selección, que podría atribuirles papeles menos gratificantes" (Todorov 2000).

I / Estigma   37

Pero nada es tan sencillo. Porque a estos artistas las organizaciones de afectados les tienen afecto, les reconocen su interés, les agradecen que sean sus aliados y que los acompañen en sus actividades y reclamos por justicia y reparación, cuando nadie más lo hace y el Estado permanece tan indiferente. Ellos, pese a toda su banalidad, les brindan compañía. Y la compañía no es poca cosa. Así pues, estamos lejos de poder distinguir claramente en casi nada. El uso y el abuso de la memoria, es finalmente algo que no tiene una frontera, sino quizá, momentos y necesidades.

8

Ser objeto de estudio, de opinión, de representación. Es inevitable para las víctimas. También para los culpables y enemigos. Para los subversivos, terroristas, senderistas. Y para sus familias y herederos. Quizá prefieran el olvido. Pero no pueden detener el uso de una experiencia que aunque sea suya no les pertenece ya.

Recuerdo a Kundera reflexionar sobre la *compasión*. Una palabra desprestigiada, despreciada por la izquierda que prefirió siempre, solidaridad. Pero Kundera llamaba la atención sobre una de las formas de entenderla. La de compartir con verdadera pasión, el sufrimiento de otro.[20]

---

20. Dice el narrador de la historia: "En los idiomas que no forman la palabra 'compasión' a partir de la raíz del 'padecimiento' (*passio*), sino del sustantivo 'sentimiento', estas palabras se utilizan aproximadamente en el mismo sentido, sin embargo es imposible afirmar que se refieran a un sentimiento

Con las mejores intenciones, algunos estudiosos o artistas pueden recuperar la memoria y buscar avanzar en el reconocimiento de todas las memorias. Incluidas las de las mujeres y hombres de Sendero o el MRTA. Pero no hay rastros de esta compasión en su aproximación. No es obligatorio que la haya, tampoco. Cada quien hace lo que mejor le acomoda.

Pero siento que es una debilidad. Porque no se detienen a pensar y a sentir si en el proceso que impulsan para conocer, pisan una vez más la intimidad de familias que quizá ya tuvieron bastante y están cansadas de formar parte de estas historias locales de la infamia.[21]

---

secundario, malo. El secreto poder de la etimología ilumina la palabra con otra luz y le da un significado más amplio: tener compasión significa saber vivir con otro su desgracia, pero también saber vivir con él cualquier otro sentimiento…" (Kundera 1985).

21. Quizá es porque hay trampas del lenguaje que nos hacen difícil el acercamiento. En la reseña de la película *Sybila* realizada por Ulfe e Ilizarbe (2013) ellas se extrañan, se quedan perplejas frente a una mujer senderista que podía ser al mismo tiempo "paloma y acero". En la película "Tempestad en los Andes" (Willstrom, 2014) una de las protagonistas, una jovencita, se pregunta lo mismo cuando intenta explicarse a su tía, la dirigente senderista Augusta La Torre. La joven llora y apenas puede decir "no lo comprendo, porque ella era tan suave y al mismo tiempo dura" (parafraseo nuestro). Y es una trampa del lenguaje porque este nos habitúa a dicotomizar, a afirmar tanto nuestro yo que nos cuesta identificarnos con los demás de modo más sencillo. ¿Quién no es duro y también dulce o sensible? ¿Por qué no partir de aceptar que estamos ante personas a las que podemos considerar si no iguales, muy parecidas a nosotros?

9

"Que se vaya ese chico". Lo alcancé a oír. La buena señora lo dijo desde la cocina, en voz profunda que quería ser baja. Se podía adivinar una pequeña pelea. Mi amiga, casi seguro avergonzada, argumentando que ella me había invitado para jugar Monopolio. ¿Cómo me iba a decir ahora que no podía entrar a la casa? Barullo, murmullos. Ruido de ollas. Algún grito autoritario que no alcancé a descifrar. Parado en la entrada, ante su puerta entreabierta de vidrio y metal, no podía moverme. Sentía mucha rabia y confusión. Yo no había hecho nada para ser tratado así. Yo no había querido ir, me habían invitado. Mi orgullo herido. Mis piernas quietas, sin irme, como con deseos de escuchar a mi amiga echándome para que ella luego sintiera culpa y yo me sintiera más triste y todo fuera un drama perfecto. Pero no ocurrió así. Salió su hermana mayor y me dijo, con la mayor amabilidad que pudo, disculpa, mi hermana tiene que estudiar, no puede jugar contigo. Y cerró.

Veinte años después una chica me cuenta en un café de Plaza San Miguel que le habló de mí a su familia, en una reunión de tíos y tías y que resulta que me conocen. O que conocen a mi familia. Me cuenta de todo el terror que habían vivido por nuestra culpa. Y le dicen que se aleje de mí porque solo iba a arruinar su carrera. Que yo estaba lleno de ira y resentimiento. Que seguramente solo quería vengarme de todo el mundo por lo de mis padres. Me lo cuenta con tantos y tantos detalles, por largo tiempo. Me recalca que eso piensan ellos, pero que a ella no le importa. Solo quiere que le diga la verdad. Que la ayude a decidir.

La verdad. La única que se me ocurrió entonces fue la que tenía más a la mano. Que su familia se preocupaba por ella. Que tenían sus razones. Que en sus recuerdos mi madre, sobre todo, era una peste cuyo contacto generaba peligro. A mí no me habían visto nunca, pero me habían construido desde su memoria de mi madre como un anexo de ella. Proyectado como una fuente de resentimiento, un senderista biológico, esencial, contagioso. Ellos creían eso. Y en su miedo y las ganas de protegerla, no les importaba detenerse a pensar qué cosas pueden vivir los demás. Qué podría haber vivido mi familia o yo. Que tal vez no era un hombre bomba listo para aniquilar el mundo por revancha.

Nada de esto le dije, solo el resumen. Ellos te quieren, se preocupan. No quiero hablar más de eso. Así que lo nuestro fue una historia muy corta.

II. Culpa

10

Un tipo entró a la tienda en la universidad y me dijo: acá trabaja Silvia Solórzano. Sí. Te informo que ha muerto esta mañana. Está bien. Muy serios los dos. Me miraba, desde atrás de sus lentes negros de carey, casi molesto. Lo miré callado, esperando por si tenía algo que agregar. No hizo ningún otro gesto, no dijo nada más. No dio el pésame, no se mostró compungido. Tampoco le mostré nada.

Fue un día extraño. Mi primo, que había ingresado ese año a la universidad junto conmigo, entró a la tienda y me contó algunas cosas divertidas, creo que me invitó para ir a almorzar o a cenar en su casa. Le dije que no podía, que tenía cosas que hacer. No le conté. Por la costumbre de no hablar de estas cosas.

Toda la mañana junto con mi tío reconstruimos lo sucedido, entre los vendedores de las tiendas vecinas. Sí es la señora Silvia, la vimos por los noticieros de la televisión en la mañana. Todos la vieron menos nosotros porque no teníamos televisor. Mi tío salió a averiguar con más detalle. Yo me quedé en la tienda pensando en los pasos siguientes que tendría que dar.

Me agobiaba pensar en lo que vendría después. Que llegara la policía a la casa. Preparar las cosas y ocultar lo que fuera peligroso, pero bien pensado, ¿ya para qué ocultar nada, libros, volantes, documentos?

No, me agobiaba sobre todo hablar con la familia, escuchar sus lamentos o quejas o las dos cosas. Su llanto falso. Retrasé lo más que pude la llegada a casa.

Tomé un microbús. Me senté al fondo. Como mis gafas estaban bastante chuecas, me las quité para descansar la vista. El mundo del bus y sus ocupantes se volvieron una mancha borrosa. Desde allí, invisible porque no podía ver a nadie, sentí el alivio más grande y concreto que he sentido jamás. Lo sentía invadiendo mi ser, como si el descanso fuera algo más que una palabra.

Por fin. Por fin luego de tantos años, mi madre había terminado de morir. Nunca más esperarla hasta el amanecer, nunca más preguntar por ella a amigos y conocidos tras días de ausencia, no más cárcel ni visitas, no más rogarle que se vaya del país, no más dormir a medias esperando oír el sonido de sus pasos al entrar a la casa, o su voz regañando a Jaky por ladrar a su llegada, nada más.

Todo eso debo haber sentido así, sentado al fondo de ese bus viejo, solo en mi rincón de mundo. Y mientras lo iba sintiendo, al mismo tiempo, me iba torturando la culpa. Hubiera querido llorar entonces, para contrarrestar el alivio con algo de dolor representado. Pero no pude. Tenía cosas que hacer. Así me habían educado.

11

¿Sentir alivio por la muerte de mi madre y luego culpa por sentir este alivio es un asunto solo personal, mío, íntimo, psicológico? ¿Es un tema que no tiene relación alguna con las cosas públicas?

Creo que en parte sí, desde luego. Es mi problema y a nadie tendría que interesarle cómo proceso mis dramas. Pero por otro lado, este alivio este descanso pesaroso ¿no es también una mala hierba que nadie quiere ver? ¿No es una forma de padecer injusto que miles de personas han vivido en el mundo y siguen viviendo, porque se ven forzados a necesitar que se muera lo que aman? ¿No es quizá una tremenda institución invisible de nuestra modernidad?

Recuerdo esa conversación en un cerro de Lima, con esta señora de cabello cano a sus 40 años, ese roer "ojalá ya se muera para que podamos descansar, para que nos deje en paz ese maldito". Friendo pescado. Rodeada de sus hijos sentados a la mesa del domingo. Yo como invitado. Su esposo preso.

Quienes no han pasado por la mala suerte de tener a alguien cercano detenido, las siglas DIRCOTE o DINCOTE[1] deben significar poco o serán parte de las palabras usuales para escribir sobre la violencia política en el Perú. Son cosas que se dicen rápido, pero son palabras como puertas que si se pasan, llevan hacia experiencias donde se necesitan muchas otras palabras, sensaciones y olores para leer algo verosímil. Significa para los detenidos y sus familiares angustia, miedo, abogados, búsqueda de ayuda, de influencias, tortura, saber, saber que están torturando a tu familiar, sangre, incertidumbre. Y cuando esta experiencia se repite más de una vez, la DINCOTE como tantas otras agencias o lugares de seguridad del Estado en el mundo en sus respectivas épocas, como la ESMA o la DINA,[2] se convierte en parte de una rutina y una pesadilla. Las familias se desgastan ante esas puertas.

Llevarles algo, ver que alguien les pase un papelito, un poco de ropa, una medicina, comida, que no los vayan a desaparecer.

Descansar de eso.

De ese agobio definitivo, atroz, que extinguió la capacidad de volver a disfrutar la vida del joven Eliézer cuando su padre muere a pocos días de que el campo sea liberado, luego de tanto luchar por sobrevivir: "No lloré y me hizo daño no poder llorar. Pero ya no me quedaban lágrimas. Y, en el fondo de mí mismo, si hubiera hurgado en las profundidades de

---

1. Dirección Nacional Contra el Terrorismo.
2. Lugares de detención clandestina y centros de tortura estatales en Argentina y Chile, respectivamente.

mi conciencia débil, tal vez habría encontrado algo parecido a
esto: '¡Al fin libre!'..." (Wiesel 2013).

Este alivio y esta culpa, este paquete de mala flor porque
por fin muere quien quieres, no es pues solo un tema individual. Es un residuo de la impotencia y el miedo. Signo del
fracaso del afecto ante la bárbara razón. Y este daño es compartido por cientos de miles de familias en el mundo. Un dile-
ma del amor. Y el amor debe ser parte de lo público, más aun,
cuando es terrible.[3]

12

Ese olor no es el suyo. En su momento estelar, ya no huele a
ella. Y ella olía con tanta nitidez.

Las flores, los letreros, el café, los saludos. Ella odiaría
este momento. Pero acá está, sometida a la familia. A un rito
postizo de gente que la quiso mal.

---

3.   Pero constatar que mi alivio es apenas hermano pequeño de uno viejo y
      extremo, del que todos los padeceres parecen ser variaciones menores. La
      novela de Wiesel o los relatos de Levy son inevitables como catálogos de
      horrores, pero sobre todo de las formas en que los hombres comunes se
      envilecen o pierden el alma. La culpa de los que sobreviven, acaba siendo
      una marca a fuego. ¿Cómo contar con tono grave un modesto sufrir frente
      al Horror? ¿Qué se gana exhibiendo rasguños en un bosque de heridas más
      antiguas que uno mismo? Hasta la historia del horror acaba trabando com-
      partir nuestros pequeños dramas. Pero sabemos: no pueden haber escalas
      pues cada experiencia es irrepetible y un cuerpo se destruye una sola vez.
      Sí, sabemos. Pero se presiente algo como una vergüenza de compararte con
      los que de verdad sufrieron.

Apenas murió anoche y ya parece una muerta abandonada, como si le hubiera tocado una muerte muy vieja, gastada.

A mi lado alguien dice su nombre. Es extraño porque hablan de ella como si fuera algo remoto, una cosa ajena. Una enfermedad.

Quisiera irme pero la convención me detiene. Así que desde un rincón observo el teatro colectivo, espontáneamente ciego, que no ve sus heridas, su nariz aplastada, sus dedos rotos. Murió de muerte. Nada más. Las manchas de sangre adecuadamente ocultas por el secreto, los chistes de velorio y muchas blondas celestes.

Ella se seca como una momia inexperta.

Puede parecer que estoy loco, pero en este momento lo sé, sé, sé que por inercia, su cuerpo aún repite el sueño de ayer. Cuando perdida y agotada por la tortura, soñaba morir. Y no lo tolero. Quiero que pare. Quiero que todos se vayan. Que nos dejen solos. Quisiera tener el valor y gritar: lárguense, no finjan, ahora están por fin tranquilos, se murió la muerta, la maldita, la terruca, la perra, por fin se acabó el miedo. Largo. No tienen que esperar a ver si revive.

Pero no hago nada. Solo la miro soñar ese eco.

Como un bobo, como un cobarde, cierro los ojos para ver si por algún arte mágico la encuentro en la oscuridad, para ver si ayuda cantarle en mi mente sobre una laguna paraguaya, o jurarle que seré lo que ella quería que fuese.

Pero no hay magia, no hay más que ruido en esta habitación y este calor y estas manos que me golpean la espalda. Es absurdo, lo sé, lo sé, pero igual, siento, siento, y con los ojos cerrados avanzo hacia la salida. Esquivo pésames y brazos y sudor. Y la busco.

Pero no la encuentro. Aún no. Para que descansemos. Para que ella nunca más vuelva a soñar ese sueño ni ninguno. Para que por una vez se comporte como cualquier persona normal.

Y solamente se pudra. En paz.

13

Lo conocí en uno de mis viajes en la época de la Comisión de la Verdad.[4] Visitamos muchas comunidades entonces. Todas parecidas. Todas con sus historias casi calcadas. Las mujeres hacían largas colas para brindar sus testimonios. Los varones y autoridades nos contaban su historia oficial. A veces pasaba algo como esto. Un momento auténtico. Que deshacía el hechizo de este trabajo tan esforzado.

Quizá porque éramos más o menos contemporáneos, quizá porque le conté algunas cosas en privado, porque le regalé un libro. No sé. Juan me enseñó las tumbas donde habían enterrado a los senderistas y a sus propios vecinos que habían sido de Sendero en la zona. Era el secreto de la comunidad. Así habían demostrado a la base militar que ellos no eran terrucos.

---

4. La Comisión de la Verdad y Reconciliación (CVR) trabajó entre los años 2001 y 2003, y sus resultados se presentaron en un *Informe final* de nueve tomos que han sido, hasta hoy, muy poco difundidos. Durante esos años trabajaba en una ONG de derechos humanos que por medio de un convenio con la CVR se encargaba de la toma de testimonios en cuatro provincias de la región Ayacucho.

Pero las demostraciones no son suficientes. La guerra tiene su propia lógica y funda otros ejemplos. El ejército torturó y ejecutó en su plaza a unos quince pobladores y a otros se los llevó y los mató en un paraje cercano. Porque los del ejército "sabían" que eran terrucos, que pese a su demostración, esa comunidad había sido una base de Sendero.

Juan me dice que no les importan tanto las reparaciones, que están bien, pero que sobre todo quieren una cosa. Me dice que le pida a la Comisión de la Verdad que les ayude a reconciliarse con sus hermanos de la comunidad de Ichu. Que los perdonen. El resto de sus compañeros, la directiva comunal, asiente. Que nos ayude la Comisión de la Verdad.

Me voy junto a mis compañeros rumbo a otra comunidad en nuestro itinerario. Cuando la camioneta está por arrancar, Juan me insiste. Su español es perfecto. Casi urbano. Su mirada muestra ansiedad. Como si la oportunidad se le estuviera escurriendo entre los dedos, entre documentos y testimonios amontonados. Que la Comisión les ayude para que los perdonen los de la comunidad vecina. Que entiendan que muchos fuimos obligados, o que lo hicimos sin saber mucho, yo mismo fui, niño era, a esa batalla, cuando les matamos dirigidos por Sendero. Desde allí nos odian. Y estamos arrepentidos.

Juan camina un rato junto a la camioneta. No sé exactamente qué le digo. Entiendo que necesita paz, que su conciencia necesita ser calmada, que saber que otros lo odian con razón no le impide vivir, pero lo marca. Algo le digo, alguna fórmula desde el idioma de los derechos humanos. Pero sé que solo son palabras inútiles.

14

Las palabras insisten todo el tiempo: terroristas, crímenes, asesinos, lo peor que le ha pasado al país en toda su historia. La CVR es clara, el responsable principal del conflicto armado interno fue el PCP-SL que le declaró la guerra al Estado peruano y produjo la mayor cantidad de muertes, la mayoría indígenas quechuahablantes. La peor matanza de la historia de la república.[5]

Converso con un par de exmuchachos, ahora en MOVA-DEF. Ellos reconocen errores, pero tienen a la mano justificaciones para sus acciones. Han tenido años para elaborarlos, en la cárcel. ¿Cómo culparlos por esto? Deben seguir viviendo. No pueden vivir con un pasado que sea solo un cúmulo de vergüenzas. Sus historias personales deben ser salvadas del oprobio.

Uno de ellos me ataca. Me dice que vayamos el domingo al penal, que hay alguien que quiere contarme algo porque estuvo con mi papá cuando murió, hasta el final. Le digo que lo pensaré. Me invita a escribir en su revista. Le digo que no estaría mal. Les regalo unos ejemplares de mi poemario.

No creen en la información que los descalifica. No creen en la CVR ni en las ONG. Me cuentan varias anécdotas, con una cantidad de detalles que según ellos demuestran que matanzas y atentados atribuidos a Sendero en realidad fueron realizados por el Ejército. ¡No éramos tan tontos para hacer eso!, dicen.

---

5.   Son las principales y primeras conclusiones de la CVR contenidas en su *Informe final*.

Alguna acción notable, como Tarata, la cuentan como un increíble momento de mala suerte. La explosión debió ser cerca, en el banco. "Fue lo peor que nos pudo pasar", comentan contrariados. Les hablo de la muerte de María Elena Moyano, su cuerpo tratado con tanto odio. Reconocen que fue un exceso, un error, pero que se lo merecía. "Todo lo que dicen es mentira, nosotros acá no matábamos así como ellos, como la reacción mataba".[6]

Aunque no era mi plan inicial, les cuento con calma, como recitando, mi propia experiencia en la época de la CVR. Les digo en resumen, con muchos ejemplos, que sí mataron y que sí fueron terriblemente brutales. Que podían no creerle a la CVR pero ¿no me iban a creer a mí o a la gente que me lo contó? El más callado me dice: de lo que pasaba en el campo no sabíamos mucho. Puede ser, habría que verificar, dice el otro.

Se van contentos. Ellos también me han grabado, astutos, y se llevan nuestras voces por allí. Se ve que tienen la necesidad de hablar, incluso de ser cuestionados, pero por alguien que comprenda algo de su lenguaje, de su apremio y de sus pesares.

Yo me quedo pensando largo rato, dudando si escribir esto para compartirlo en mi blog y en Internet. Decido que no, como la mayoría de estos escritos. No puedo sentarme,

---

6.   Los casos de Tarata y María Elena Moyano son de los más conocidos atentados terroristas cometidos por el PCP-SL en Lima, y mostraron de modo muy cercano para el habitante de la capital, la forma tan brutal de su accionar. En la calle Tarata, del barrio residencial de Miraflores, colocaron una carga explosiva que prácticamente redujo a escombros un edificio, dejando muertos y heridos. A Moyano, notable dirigente de la izquierda legal, la asesinaron en su barrio de Villa El Salvador frente a sus hijos, y luego, hicieron explotar su cuerpo con cargas de dinamita.

colocarme desde fuera y describir simplemente una conversación y un café como cualquier pasaje pintoresco de Lima.

Falta mi parte. Y no sé si estoy listo para expresarla claramente. A mí no me sirven esas justificaciones, esas salidas retóricas, las fórmulas ideológicas, esa descalificación a las ONG o la CVR. Yo he trabajado allí, he sido un activista de derechos humanos desde joven. Y lo he sido a conciencia.

Sé que es cierto. Que las miles de muertes atroces que el PCP-SL cometió como costo de su revolución son ciertas. Sé que estaba previsto, que la revolución los cegaba y ponía como meta el bien futuro a costo del bien presente. Que estaban enfermos de justicia. Que el exceso de justicia los llevaba al odio y la ansiedad de cambios, a la destrucción. No era un senderista pero Gálvez lo dice bien y sencillo: queríamos cambios ya.[7] Eso los definía. Creo que sí, al menos parcialmente.

Sé que mis padres formaron parte de este mundo. Sé que en la acción donde detuvieron a mi padre por última vez un policía fue asesinado. No sé si él disparó. Me cuesta imaginarlo. Pero también creo que pudo ser. Era un tipo decidido y valiente. Pero el policía era un pobre hombre, un trabajador, que seguramente

---

7. Alberto Gálvez fue un dirigente del MRTA, que ahora purga una condena de cárcel y que saldrá libre pronto, si las autoridades llegan a permitirlo. En su libro *Desde el país de la sombras* y antes, desde su declaración a la CVR, Gálvez ha ido elaborando un discurso en el que asume su responsabilidad en la época de violencia política y se aleja de las motivaciones y métodos a los que adscribió en lo que llama su ansiedad por cambiar las cosas y combatir la injusticia social. Su testimonio y reflexión es importante porque no es sencillo, se debate en idas y vueltas, es imperfecto, y se ha ido construyendo con mucho esfuerzo. Pero no ha encontrado aún interlocutores que hagan el mismo esfuerzo de comunicación, igualmente imperfecto (Gálvez 2009).

estaba asustado cuando perseguía el auto en que huían mi padre y sus compañeros. Alguien a quien ese disparo debió dolerle, quemarlo, paralizarlo pensando en su familia mientras se escapaba su pequeña vida de un par de décadas.

Su familia, ahora recortada de él. Solamente viuda y huérfanos. Como nosotros. Cómo pedirles perdón. ¿Debo pedirles perdón?

15

Ahora lo sé. No solo nosotros, sus hijos, le pedimos a mi madre que saliera del país. Estaba claro para todo el mundo que la iban a matar. Muchos de su entorno o habían muerto o habían sido detenidos. La vigilancia de la Policía y el Ejército se había vuelto descuidada, escandalosa. En la pequeña tienda de la Universidad de San Marcos entraban sin disimulo agentes de inteligencia, nos miraban y salían. Entraron incluso vestidos de uniforme. Una tarde llegó un tipo alto, recio, de uniforme gris claro. Nos vio, mi madre sentada, tipeando en la vieja máquina de escribir la tarea de algún universitario. Yo a su lado, dictándole. Dijo algo parecido a "sí, ella es". Lo miramos. Luego salió.

Sus amigos también se lo pidieron, algunos cercanos, que no estaban metidos en El Partido. Un buen muchacho, un amigo muy querido que estuvo en Sendero pero que tuvo la lucidez de salirse antes de que lo mataran también se lo dijo. Flaca, qué haces en esta mierda ya, no tiene sentido, tú lo sabes. Él salió del país y vive y aún lo queremos de lejos, sin tocarlo.

Se lo pidieron amigos de una ONG que la habían conocido desde sus años en la izquierda radical pero legal. Que la estimaban y pese a sus discrepancias, le ofrecieron darle una mano para salir. Se lo pidieron algunos familiares. Pero a estos les dijo con pocas palabras, cuiden a mis hijos, que no les pase nada.

A mi madre algunos compañeros del partido la acusaban de preferir atender críos que entregarse por completo a la revolución. Ella no hizo caso. Los problemas que tuvo por ello, por años, son bastante complejos y ya habrá ocasión de pensar en ellos. Cuando yo le pedía que se fuera, cada vez que podía, cada cierto tiempo, ella sonreía y empezaba con un "no pasa nada". Luego decía cosas como qué va a ser de ustedes. Eso me enfurecía. Le decía que éramos grandes y que sabríamos qué hacer.

Al final no se fue. Se quedó paralizada frente a una playa de Chorrillos, de tres balazos. Su sangre uniéndose al mar, ese lugar donde puedo verla aún, serena. Repitiéndose.

Mucho tiempo he luchado con el sentimiento de culpa de creer que se expuso a un riesgo muy alto por sus hijos. En los peores momentos de nuestra historia familiar en la guerra, contadas veces se separó de nosotros para ocultarse en algún lugar seguro. Siempre regresó, buscó trabajo y nos dio que comer. La policía nos ubicaba, llegaban a la casa, nos despertaban, la señalaban, revisaban nuestras pocas cosas, las ropas, los libros. Amenazaban con llevarla. Pero no lo hacían. No sé por qué. Nos íbamos a otra casa entonces. Por lo menos por un tiempo. Las críticas le llovían: deja a esos críos y pasa la clandestinidad.[8] Deja esa basura de "P" y vete del país.

Sé que con su decisión de no dejarnos y estar en su revolución a medias nos cuidaba, pero también nos exponía al peligro. Las dos cosas al mismo tiempo. No podía evitarlo. Ella creía que era necesario cambiar un mundo que la indignaba hasta el desasosiego. Pero no podía dejarnos simplemente, para ser más pobres aún de lo que ya éramos.

He pensado en mi madre por años. Por qué no se fue. Creo que en parte fue por sus hijos. No le pedimos eso, no queríamos esa culpa. Se lo dijimos.

Pero también creo que no se fue porque no podía hacerlo. No solo por nosotros. Por inercia en parte. Pero también porque no podía imaginarse una rendición de tal magnitud para su vida. La conocí profundamente. Sé que era transparente y que amaba a la gente, quizá en exceso si eso es posible. Que le dolía el dolor de los demás hasta hacerla sufrir. Ella sabía que el PCP-SL era ya para inicios de los 90 un terrible error. Pero no podía salirse por completo. Era lo único que le daba sentido.

Ella no estaba lista para rendirse.

---

8. Cuán diferentes podían ser los senderistas unos de otros, cada uno construyendo su militancia desde sus propios bagajes, perfiles, necesidades, sus propios márgenes de acción. Pensar en ellos solo como seres sedientos de sangre o revancha o incognoscibles nos puede quitar la oportunidad de comprender mejor toda una época que aún nos alcanza. Trabajos como la tesis de Dynnik Asencios (2012) ayudan a ello. Ojala la tengamos pronto publicada.

16

Los senderistas mataron miles de personas. Miles de ellas fueron objeto, antes de morir, de vejaciones infames. Cientos, quizá miles, después de ser asesinados sufrieron el uso de sus cuerpos para el ejemplo y la pedagogía del miedo. Las consecuencias de esta guerra aún se sienten en los pueblos, en los barrios, en la política, en la institucionalidad.

Los hijos no pueden heredar la culpa de los padres. No es justo. Pero sí la heredan porque la justicia no es más que una palabra que debe construirse en cada contacto humano, no un imperativo categórico.

Cuando los colegas, con las mejores intenciones, hablan de las monstruosidades de Sendero estoy de acuerdo. Pero sé al mismo tiempo que están hablando de mi familia. Y de muchos amigos a los que vi vivir a plenitud y luego morir. Me cuesta recordarlos monstruosos. Pero sí, cometieron atrocidades y las justificaron.

Cuando otros colegas señalan alarmados que hay que hacer algo para detenerlos y vigilarlos cuando salgan de la cárcel, estoy básicamente de acuerdo, porque comprendo su temor y su ansiedad. Y porque conozco lo suficiente de algunos de los que salen de la cárcel como para comprender que se organizarán y buscarán tener algún nuevo rol político.

Pero sé también que las cosas vistas en detalle pueden haber significado más de lo que las grandes narraciones y los grandes miedos nos otorgan. Es decir, el monstruo senderista pudo haber tenido su motivación y esta pudo ser muy diversa y pudo cambiar en el tiempo, pudo haber tenido su padecer y este no haber sido banal. Este monstruo en realidad esconde a un monstruo de mil cabezas o toda una fauna o bestiario. Tantos senderistas con sus senderismos, en tensión con El Sendero institucional.

Devolver densidad, darles contexto, recuperarlos en sus trayectorias de vida, de generación.[9] No creo que hacer esto justifique ningún crimen ni promueva revisionismos. Tampoco creo que se trate solo de devolverles humanidad. Es más bien mirarlos profundo y de frente para conocerlos socialmente. Si alguien quiere devolverles algo, humanidad o no, es asunto de cada quien.

Algo de esta complejidad muestra una notable investigación, reciente, que su autor demoró tantos años en armar, en encontrarle la forma y en decidirse a presentarla públicamente. Una investigación que es también una forma de vindicación. Que es un trabajo que merece más de una lectura sobre cómo se intenta construir la legitimidad para hablar. El largo camino de ganarse el derecho a ser un intelectual y sus costos.[10]

---

9. Como apunté al inicio de este texto, les pregunté a los jóvenes anarquistas en una reunión en el centro de Lima si su pedido de "darles contexto" a los miembros del PCP-SL no era una estrategia intelectualizada de envolver una justificación. Es difícil hablar con estas palabras, que son como trampas. ¿Servirá de algo decir que el contexto es como colocarlos frente a un fondo que permite mirar sus rostros con mayor claridad y contraste?, ¿que el contexto no vale sino para ver mejor a uno solo, un rostro descubierto y expuesto sin misericordia al escrutinio? Pero otra vez las palabras con sus trampas ¿sin misericordia? ¿Es eso?

10. Y que aún ahora, seguiremos manteniendo así, sin citar, por propio deseo de este amigo, porque lo que puede escribirse en un lugar y compartirse entre unos pocos, aún es incómodo compartirlo más allá de esas fronteras.

Conocerlos, entonces, saliendo del estereotipo. Porque, finalmente, hubo senderistas, muchos, que no actuaron como peleles, que no fueron solo objeto de la manipulación. Hijos de su contexto sí, pero tampoco secreciones de las estructuras. Estos decidieron arriesgar sus vidas en una guerra que nadie les había declarado. ¿Personas y experiencias así no merecen de los intelectuales una atención especial?

Ese fue el caso de mis padres y de los senderistas que conocí. Tenían sus razones para ser de izquierda, para ser radicales como muchos otros en aquel entonces. Pero tenían una motivación extra, difícil de conocer, inaprensible, que era de una minoría, para hacer la guerra, coger las armas, luchar por el poder usando la fuerza. ¿Cuál era esta razón? Esta es la respuesta que siempre se me escapa. Es la pregunta que hasta el final de su vida rondaba a Carlos Iván Degregori, quien decía algo como "eso nos falta, comprenderlos, por qué lo hicieron, es decir, no las explicaciones generales, esas ya las sabemos más o menos, sino entender a las personas, a Juan, a María, es lo que no alcanzo a comprender...". Y se frustraba, como yo, como tantos otros.[11]

Cuando las víctimas de violaciones de los derechos humanos me contaban sus casos, su resentimiento hacia el Ejército pero también hacia Sendero, cuando me contaban las torturas atroces que habían sufrido bajo su poder, mi ser se concentraba

---

11. El Instituto de Estudios Peruanos (IEP) está preparando la publicación de esta conversación de Carlos Iván, al final de su vida, cuando junto a Pablo Sandoval, lo ayudábamos a organizar su archivo y lo que serían sus *Obras escogidas*, las cuales actualmente se vienen publicando en la editorial del IEP.

en oírlas, en prestarles mi único capital: escucharlas para que existieran. Ellas y sus historias oídas, en el mundo porque otro las comparte.

Al oírlas tantas veces, por años, no pensaba que estuvieran hablando de mi familia. Compartía su sufrimiento y su indignación, ponía todo de mí por lograr que alcanzaran si no justicia o reparación, al menos la tranquilidad pasajera de saberse acogidas. Tan poca cosa se puede ofrecer. Pero luego, luego, cuando el trabajo terminaba, me preguntaba ¿si supieran que mis padres fueron senderistas? ¿Me seguirían contando sus cosas, seguirían siendo mis amigas?

¿Qué les diría entonces? Mis padres no fueron monstruos, tuvieron sus motivos personales para luchar, tenían ideales, urgencias. Pero ¿eso les quita culpa? Podrían responderme con toda razón: ¿y eso les daba derecho a tus padres y sus camaradas para asesinar, disparar, quemar, romper, destruir?

No lo creo. Quizá les devuelve algo de significado a sus vidas. Los aproxima a la historia y no los expulsa como una pesadilla o una enfermedad. Pero finalmente podría decirme este interlocutor general, el Perú murmurante digámosle: ¿y eso en qué nos beneficia?, ¿eso sana, eso calma a los deudos, eso ayuda a la sociedad?

La utilidad de este ejercicio es, pues, incierta.

17

En dos ocasiones he pedido perdón por mi padre. Fue un momento de confusión, porque no es que cargara con esa urgencia durante mi adolescencia o mi juventud. Fueron actos impensados que se dispararon, una cadena de sucesos pequeños que sin drama me condujeron a ello. Fueron torpes también. Escribí un correo electrónico a ciegas. La respuesta fue fría pero correcta. No tienes por qué disculparte, lo que pasó no tiene nada que ver contigo. Pero no nos vuelvas a contactar. Gracias. Qué esperaba. No me sentí mejor ni peor, me sentí ridículo.

18

Otros correos mandé por esa época, a personas que sabía habían compartido algunos momentos con mi padre. Y les ponía una fórmula tipo "si algún daño o perjuicio te causó, en su nombre te pido perdón". Recibí solo dos respuestas. Una decía: "tu padre y tu madre hicieron mucho daño a mi familia, te escribo en nombre de mi padre porque él no sabe manejar el email. Te pedimos que por favor no nos vuelvas a comunicar y que la paz sea con tu familia". El segundo fue algo como esto "tu padre fue un gran amigo y guardo el mejor recuerdo de él y de tu madre, no corresponde que pidas perdón en su nombre, cariños".

La primera respuesta me hizo pensar en ese hijo, seguramente molesto, que quizá vivió en su infancia la angustia de su familia por haber estado en el entorno de mis padres. Porque eso generaban en su entorno. Como un contagio del peligro. Al pedirles favores, al pedirles que guarden cosas, a los más comprometidos, que brinden alojamiento o comida para otros senderistas. Usando esa especie de chantaje: eres o no alguien solidario. O eres como todos, solo un palabrero. Imagino el temor que sintieron al ver caer detenidos a sus alojados, al ver a mis padres encarcelados o en las noticias. Pensando: ya vienen por nosotros. Pensando: nos quedaremos sin trabajo. El hijo me respondió y sentí que no tenía derecho a seguir importunándolo con ese pasado. Fue un error.

La segunda respuesta me dio vergüenza. Quien me respondió es una mujer hermosa, que es capaz de colocarse en el lugar de los demás sin aspavientos. Con sencillez. Que también ha sufrido lo suyo. Su respuesta fue un abrazo. Pero entonces lo que sentí es: no debí mostrarme tan torpe y tan ingenuo, tan desorientado. Es una cuestión de orgullo. Hay abrazos que con todo su calor, desnudan. Hubiera preferido no escribir nada y no recibir ninguna de las dos respuestas.

Palabras. Van y vienen. Finalmente, dejarán de significar algo. Y se olvidarán. Eso hace que me disculpe a mí mismo. Me dije entonces, no volveré a pedir perdón.

Ahora estoy rompiendo esta promesa. Pero este perdón es un derecho. No una humillación.

19

Escribí una vez: "los hijos no pueden heredar la culpa de los padres. No es justo". Pero sí la heredan. La culpa es compleja, tiene formas y se adapta porque las comunidades necesitan culpables.

Las acciones de mis padres generaron un conjunto de reacciones en cadena que aún hoy se prolongan. Tocando la vida de la gente, afectaron sus rumbos para siempre y, en buena parte, para mal.

Sus acciones fueron diversas: mataron, prepararon atentados, expusieron a mujeres y varones al peligro, debilitaron con estas acciones a dirigencias sindicales y barriales, afectaron familias y sus dinámicas. Su "trabajo de masas", que vi en acción más de una vez, era una hábil seducción, tejer alrededor de gente sensible una esperanza de cambio. El "P" era introducido poco a poco, como una entidad secreta pero que se dejaba sentir, que era real en sus efectos. Apoyar el trabajo de los combatientes, de los "mejores hijos del pueblo", aparecía como un acto de gran solidaridad, de generosidad y de desprendimiento, el mayor que podía hacerse, porque se hacía sabiendo que no era algo sin riesgo.

Como un virus, así actuaban. Así muchas señoras sencillas de pronto se vieron enredadas en un juego de guerra que las superaba. ¿Qué cosas tuvieron que pasar, dónde migrar, esconderse, qué miedos afrontaron por esta seducción?

Los efectos de estas acciones de mis padres no terminaron cuando ellos murieron. La muchacha de izquierda que se

enamoró de mi padre preso, que luego fue su pareja, afectó a
su familia, y acabó también en la cárcel. Sus hijos han sufrido
esta elección. La señora Sara, que ayudó a mi madre en los
peores momentos, tuvo que huir de nuestro barrio, sus hijos
mal cuidados, uno de ellos, el Mellizo, metido a delincuente,
ya ha muerto.

No creo que estas personas (tantas se me vienen a la mente, la señora de las salchipapas, el socio de la empresa de mi
padre, los jóvenes del colegio M) fueran títeres. No se dejaron
manipular tan burdamente, pero mis padres sí intervinieron
en sus vidas de modo decisivo. Eran como activadores, les daban un toque a quienes ya estaban con la piel sensible para
recibirlo.

Y lo que les trajeron fue mal. Muerte en el peor de los
casos, como a los jóvenes Miguel y Juan, chicos rebeldes, alegres y llenos de energía. Cárcel o desarraigo, como a Héctor, el
físico de talento inagotable.

Recuerdo la rabia de algún compañero de la universidad,
que estudiaba historia como yo, contra un profesor muy erudi-
to pero políticamente extremista y otros como él. Tantos otros
extremistas de izquierda como él. Que por medio de su discurso y su influencia sensibilizaron a sus estudiantes o discípulos
y los alentaron hacia una radicalización terrible. Estudiantes
que luego entraron a Sendero y murieron o fueron desaparecidos o se pudrieron en la cárcel. Y ellos se quedaron en sus
vidas de provocadores, radicales de la palabra.

Cuántos otros dirigentes de izquierda caben en esta descripción. El lenguaje de la revolución, el deber del cambio, la

conciencia de la injusticia y de su indignidad (no poder vivir tranquilo mientras la injusticia esté allí, manchando los días y los desayunos). La opción por tomar valor y atreverse a luchar por medio de la fuerza. Espíritus sensibles y rebeldes alimentados de este modo. Jugar así con estos jóvenes, fue colocarlos al borde de una decisión extrema. Y muchos la tomaron.

Los líderes de izquierda no lo hicieron. Algunos irresponsablemente siguieron clamando un discurso de violencia armada hasta que la destrucción de la Izquierda Unida los destruyó a su vez. Debemos perdonarlos también. Hijos de su tiempo. Han sido derrotados y aunque algunos aún caminen por plazas y escriban en periódicos, no se han dado cuenta de cuán fantasmas son.

III. Ancestros

Hoy recuerdo a los muertos de mi casa.
La que murió noche tras noche
y era una larga despedida,
un tren que nunca parte, su agonía.

Octavio Paz

20

Hace unos años, un conocido periodista escribió un pequeño texto que circuló por Internet recordando a mi padre. Describió algunos episodios de juventud compartida, un trabajo en la sierra central que no acabó bien por el trato de unos jefes abusivos. Mencionó su militancia en la izquierda, su rol como dirigente sindical a fines de los 70, durante las grandes movilizaciones alrededor de los paros nacionales. Finalmente, recordó su muerte en la isla penal de El Frontón en 1986, junto con otro centenar de presos acusados de pertenecer a Sendero Luminoso.[1]

---

1. Para un informe del caso véase el capítulo correspondiente del *Informe final* de la CVR. Lo más probable es que murieran 122 presos. Más allá del ámbito judicial, resulta bastante claro que la cadena de responsabilidades que dieron con la ejecución extrajudicial de los presos rendidos en el Pabellón Azul de la Isla Penal llega hasta las máximas autoridades, incluyendo al entonces Presidente de la República, Alan García. Véase CVR: <http://bit.ly/1jPSALT>.

Al recuperarlo para su memoria, lo dibujó como un hombre consecuente y valiente. Encontró en las acciones del joven que defendía a sus compañeros de labor frente a los abusos patronales, a costa de su propio empleo, continuidad con el tipo que —según había oído— fue uno de los últimos en salir del destruido pabellón, y que luego fue fusilado.

Hubo algún intercambio de correos, pero recuerdo sobre todo uno. Escrito con ese poder que da el saberse moralmente superior. Un técnico de los derechos humanos y de la justicia transicional le respondió diciendo que no había que buscar heroísmos entre los delincuentes y terroristas, y que mejores ejemplos debían rescatarse entre las víctimas civiles. Creo que llegó a sugerir por esta vía que este periodista era amoral.

Reconozco que es razonable estar de acuerdo con el tecnócrata de la justicia transicional. Pero al mismo tiempo siento qué esa razonabilidad es estéril. Está demasiada orgullosa de su propio valor.

Igual no soy alguien objetivo, soy el hijo del terrorista al que ningunea. Pero sospecho que su sólida razón es un mecanismo ciego que reemplaza las auténticas preguntas y las sustituye por verdades evidentes y de consenso cómodo.

¿Puede morir dignamente un terrorista miembro de Sendero Luminoso? ¿Puede morir preocupándose por sus compañeros heridos, intentando salvarlos? ¿Puede morir en silencio, sin rogar a sus asesinos, de pie frente a quienes lo fusilaron? ¿Hay dignidad, aunque sea la más ínfima, la que sobra, en este país de tanto sufrimiento, en la agonía de este hombre que vivió aún por buen rato sintiendo una pared que lo sepultaba?

Sí, sí, cómo no reconocer que hay héroes y heroínas entre quienes fueron injustamente asesinados por Sendero Luminoso o por las fuerzas de seguridad. Y que hay que pensar en ellos primero al señalar cualidades como el valor, el honor o la solidaridad. ¿Pero no queda nada para los demás luego de repartidas estas gracias?

¿Haber pecado vuelve asqueroso al pecador, lo aparta del mundo de los humanos? ¿De qué élite de humanos puros?

¿Hay solo maldad en cada acto senderista? ¿Hay una marca que lo aparta de la colectividad de seres imperfectos que pueblan nuestro pasado y presente?

Quizá sí. Quizá su barbarie fue extrema. Y perdieron su condición de congéneres. Cuando pensamos en los que administraban los campos de concentración, no podemos dejar de sentir que no se nos parecen. Pero ¿todos? ¿Todo el tiempo? ¿En Sendero todos? ¿Y realmente, no se nos parecen?

Parece que hoy no puede un amigo recordar a un senderista con afecto en público. Que no es éticamente válido que le atribuya cualidades. Que no puede un hijo estar orgulloso de esa muerte horrenda ni de ninguna otra de sus muertes posibles e infinitas. Se ha congelado para atrás, una historia familiar. ¿Habrá que partir de cero?

21

Mis ancestros son como malditos. No son inocentes. Hicieron la guerra. Su guerra infeliz. Llevaron desgracia a tantos. Murieron allí, extraviados.

En nuestra familia nunca construimos una identidad de víctimas. Mi madre nos educó de ese modo. Desde su perspectiva, mi padre murió combatiendo. Sus reclamos fueron para que le entregaran su cuerpo, desaparecido hasta hoy. Su indignación, me parece, no era tanto por su muerte, sino por el modo en que habían sido masacrados unos presos rendidos.

Cuando ella murió años después, también ejecutada, sus hijos tampoco nos sentimos víctimas. Por ninguno de los dos hicimos nunca mayores gestiones. Los enterramos, en medio de tensión, pobreza y prisa.

Los hijos de terroristas no tienen derecho a grandes manifestaciones de duelo. Todo, incluso la muerte, es parte de un secreto transparente y vulgar.[2]

---

2.   Todo tan vulgar. En 2004, el Ministerio Público nos informó que había logrado identificar los restos de mi padre y otros 30 asesinados en El Frontón. Convocaron a los familiares con negligencia, torpeza, en un lugar lleno de cajas y polvo. Auxiliados por queridos amigos peritos forenses, a los que preguntamos por esta revelación, nos negamos a aceptar estos restos sin hacer mayor reclamo. Nuestros amigos expresaron categóricamente que se trataba de una farsa y que técnicamente era imposible que se hubiera logrado identificar a nadie en esas condiciones de trabajo. Pero fue triste ver que algunos familiares, pese a lo obvio de la farsa, igual se llevaron las cajas, sin importarles si realmente estaban allí sus deudos. Lo necesitaban. Ahora en algún lugar tienen enterrados, visitan y llevan flores, por fin, a su desaparecido de tantos años, solo que no es el suyo, son solo restos, restos de gente como cualquiera. ¿Por qué agregar a la desgracia la infamia, la burla y peor aún, la terrible irrealidad? Acá una nota sobre el hecho: <http://bit.ly/17f3aYv>.

22

El presidente de Uruguay, Mujica, cree que no deben investigarse los crímenes de la dictadura, porque estima que él y sus compañeros que sufrieron la represión fueron combatientes. No víctimas. Y ha bloqueado los intentos de los activistas de derechos humanos para acabar con la ley de amnistía que existe en ese país.

Entiendo a Mujica. Entiendo su discurso y quizá, además de su discurso, su apuesta. Entrega un derecho no negociable, como la vida y la integridad, para lograr paz.

Pero también entiendo a aquellos que sufren esta decisión. Aquellos que señalan que combatientes o no los integrantes del MLN-Tupamaros,[3] se debían respetar sus derechos y ya muertos o desaparecidos, su condición de culpables o militantes o exguerrilleros no les resta ni a ellos ni a sus familias su derecho a la justicia y la reparación. Además, Mújica sacrifica a otros con él. A familias que no están de acuerdo con su vocación de derechos por paz o sus cálculos de gobernabilidad.[4] Y en ese acto hay un abuso.

No importa si no me siento víctima y si nunca me comporté como una. El hecho es que si este mundo de normas y moral tiene algo de valor, lo soy. Al margen de mi voluntad.

---

3. Abreviatura del Movimiento de Liberación Nacional – Tupamaros. Movimiento guerrillero activo militarmente en Uruguay a fines de los años 60 y principios de los 70 del siglo pasado. José Mujica, hoy presidente del país, fue uno de sus dirigentes y purgó prisión por 15 años.

4. La opinión de Mujica está resumida en esta entrevista que dio al diario español *El País*, en 2011. Véase <http://bit.ly/1yTaWxl>.

23

Los viejos enterrando a los hijos. Se ha dicho muchas veces que romper este ciclo natural, que los padres entierren a los hijos, es uno de los peores destinos. Mi abuela visitó a su hijo en la cárcel. Le llevó comida, ropa. Le llevó a veces a sus hijos, para que lo vieran. ¿Qué pensaba ella de él? Había sido su engreído. Su militancia en la izquierda peruana y luego en Sendero Luminoso mi abuela la atribuía a la influencia de mi madre.

Cuando mi padre murió en la cárcel en junio de 1986, en ese ambiente atroz, de nervios, miedo y rabia, mi abuela se negaba a aceptar que su hijo estuviera muerto. No hizo caso a lo que le contamos, pese a que le dimos detalles cuando los pidió.[5] Tampoco quiso creerlo días después, cuando se conoció la relación de los sobrevivientes. Mi abuela fue a los mítines exigiendo que se entregaran los cuerpos, que se aclararan las cosas. Ella odiaba esa política. Pero fue.

Recuerdo cómo mirando la foto en el periódico, donde aparecía el puñado molido y embarrado de sobrevivientes, ella

---

5.   El PCP-SL se comportaba "seriamente" en este ámbito. Nos brindaron información bastante detallada y rigurosa para un caso tan complicado sobre la muerte de mi padre. Sobre la hora de su salida del pabellón con vida, su identificación como delegado, su tortura, su fusilamiento y hasta quiénes habían sido sus asesinos directos y quién el "traidor" que desde los presos, lo señaló como delegado. Siempre he pensado en este "traidor". Mi madre nos contó que luego de usarlo lo mataron los propios marinos. Su desesperación, su temor a la muerte, usar lo que sea, su único capital para sobrevivir, me perturban. No tener nada más que ofrecer para que no te maten que tu propio honor, que ofrecer a tus compañeros. No tener nada que ofrecer que no sea tu memoria. Palabras. Su destino tampoco salvado por las palabras.

se esforzaba por reconocerlo. Lo veía. Era él, por sus piernas largas, por sus botines. Era él. Pero no era.

Veló sus ropas, al pie de una foto. Lloró años. Lo soñó tantas veces. Lo soñaba diciéndole bromas, porque para ella él era el blanquito de la familia, el criollo, la promesa. Lo soñaba diciéndole estoy vivo, búscame vieja.

Pero recuerdo el día en que nos contó que en su ventana, que tenía un cristal roto, lo vio. Vio su pie que entraba por ese cristal. Y era algo absurdo y feo. Y él le dijo, deja ya de sufrir viejita, mira como estoy.

Ese sueño la perturbó.

Era una mujer dura, muy dura. Había criado sola a sus hijos, había migrado ella de Tarma hacia Lima y a todos les había dado una carrera. Pero su hijo pequeño volvía a ella en sus sueños a pedirle paz.

Por mucho tiempo la rehuí. Su olor como a leña no me gustaba. Tampoco que viera en mi un duplicado de mi padre. Ella me pedía que me sentara a su lado y le hablara de cualquier cosa. Pero no variaba el proceso. Al final ella lo veía en mí. Y lloraba. Y me acariciaba y sus lágrimas no me conmovían. Me incomodaban.

Yo quería pensar en otra cosa. Por eso dejé de verla un tiempo. Hay que sobrevivir, y así no se puede. Luego ella fue cayendo en una acelerada demencia senil. Pero cuando llegaba a visitarla, me reconocía. O reconocía a alguien más, invocado.

24

¡Cuánto puede valer un símbolo! Mi abuela odiaba a Sendero Luminoso, odiaba a mi madre la terrorista que había engatusado a su hijo y lo había encaminado a la muerte. Pero la noche en que Sendero preparó un homenaje a los asesinados y desaparecidos de los penales, en la Facultad de Medicina de la Universidad de San Marcos, ella asistió. Y recibió con confuso orgullo una pequeña insignia, un broche, que le dieron en recuerdo. Y lo guardó.

No tuvo nunca el cuerpo de su hijo para enterrarlo, y eso la dañó tan fuerte. Pero ese acto de reconocimiento, ese emblema, esa ceremonia de esos terroristas que habían llevado a la muerte a su benjamín, lo apreció.

Ella odió a Alan García, presidente del Perú durante la masacre de los penales, como a un enemigo personal. Odió así también a mi madre por largos años. Pero Alan García era para ella el demonio. No lo perdonó jamás. A mi madre, luego, llegó a perdonarla. Luego a quererla.

IV. Cómplices

Esperamos que cese la lluvia,
aunque nos hemos acostumbrado
a permanecer invisibles, tras la cortina.

Gunter Grass

25

Había escrito ya casi todos estos pequeños relatos cuando leí a Lurgio Gavilán (2012). Ya me habían hablado de esta biografía notable. Carlos Iván Degregori, entusiasta hasta el final, decía que sería todo un boom. Y lo ha sido. Creo que lo ha sido, entre otras cosas, porque el discurso de Lurgio, el niño senderista, luego el adolescente militar, el joven cura, el adulto antropólogo, es el tipo de discurso que estaba esperando un sector de la población, sobre todo de Ayacucho. Es su intérprete, su profeta. Es como el Salieri de Forman,[1] el santo pero no de los mediocres, sino de los estigmatizados en bloque.

---

1. Salieri, el santo de los mediocres, bendiciendo a los enajenados, a los despojos de la sociedad desde su silla de ruedas en el asilo del final de su vida, en la última escena de *Amadeus* de Milos Forman (1984).

Este libro los ayuda a exculparse. Los ayuda a encontrar también algún grado de racionalidad en esas cosas que en Ayacucho todos saben: que muchos apoyaron a Sendero Luminoso. Que en las comunidades también los apoyaron. Que luego aprendieron la realidad de la guerra total de Sendero y en muchos casos, para sobrevivir, tuvieron que matar. El mito de la comunidad inocente ya no se puede sostener, hay que matizarlo con el nuevo mito de la comunidad despojada de su campo idílico, parida al mundo con dolor.

Usa varias estrategias para lograr este efecto. Gavilán narra como un niño, infantiliza la guerra, y en esta forma de contar reclama para sí esos atributos del niño: la ingenuidad y la inocencia sobre todo. También recurre a un discurso conservador, señalando que los indios como él no tenían cómo entender los manuales senderistas ni la complejidad de la vida política. Él reclama ser tratado como el indio de Uchuraccay. Él quiere ser contado por el Mario Vargas Llosa de entonces.[2]

2.   En alusión al conocido como "Informe Vargas Llosa" que investigó los sucesos de la matanza de los periodistas en Uchuraccay, comunidad altoandina en Huanta, Ayacucho, en enero de 1983, un hecho notable y clave de ese periodo. La Comisión Investigadora de los Sucesos de Uchuraccay, presidida por Mario Vargas Llosa, acertó en sus conclusiones de hecho, ratificadas luego por la CVR en 2003. Pero ofreció una interpretación cultural de la actuación de los comuneros que mataron a los periodistas describiéndolos como premodernos y a los que había que tutelar porque la complejidad de la guerra los superaba. Hay que resaltar, sin embargo, algo. Y es que Vargas Llosa cumplió con este encargo sin tener ninguna obligación de hacerlo, siendo ya un novelista mundialmente reconocido, y lo hizo con real compromiso, estoico, con una responsabilidad cívica admirable. Allí están las imágenes de sus horas de pie declarando ante el juzgado de provincia unos años después. En medio de la guerra, de un mundo andino que no conocía y que consideraba atrasado, es admirable su sentido del deber republicano, de colaborar con el esclarecimiento y la

Gavilán evita en todo lo posible generar algún momento de tensión que lleve a una discusión sobre su moral. No es casualidad. Todo se convierte, aún una escena de violación sexual masiva, en un hecho gracioso o fútil. Se queja, sí, pero reniega de los abusones jefes del Ejército que hacen pagar de más a los soldaditos como él. La violación sexual no es representada como un nudo dramático, sino como un marco para la anécdota.

Pero ¿se le puede pedir más a este autor, con tanto pasado? Alguien que pese a estas limitaciones, se atreve a mostrar su participación en la guerra desde la primera persona.

¿Hay un espacio de libertad de expresión para que él pueda realmente pensar en profundidad el nivel de su compromiso con la guerra y sus crímenes, sin perder el tono adecuado, sin cargar con el riesgo de la sanción social o incluso penal? No lo hay aún, pero si su libro aporta en algo, o en mucho, es en que pone una primera piedra en este sentido. Y ojalá no nos quedemos en la primera piedra, pues como decía Manuel Scorza, el Perú entero acaba siendo siempre una primera piedra.[3]

---

administración de justicia. Pero nada de esto le es concedido por el recuerdo público de la historia de las matanzas, que es la historia de los derechos humanos en el Perú. Porque es un campo que ha estado dominado por la izquierda.

3. En la introducción de su novela, *Redoble por Rancas*, publicada en 1970.

26

Una ONG de derechos humanos, entonces muy conocida, prestaba ayuda humanitaria a los presos de Izquierda Unida y también, de paso, a los de Sendero Luminoso. Ellos sabían a quienes apoyaban, bajo la forma de acciones de socorro. Pero quizá un sentido de humanidad general no les permitía decir sencillamente: a estos presos no los ayudo en nada.

Esta ONG sacó a varias personas del país, pues corrían el riesgo de ser asesinadas o desaparecidas por formar parte de Sendero. Mi propia madre, que los conocía de sus años de militante de izquierda, estuvo cerca de ellos por largos años, gestionando pequeños apoyos como ropa y víveres.

Aunque eran cuidadosos y no compartían la opción de los senderistas, no se negaron a ver por estas necesidades humanas. ¿Cómo negarle este apoyo a viejos amigos, a personas con la cuales compartían, además, muchas ideas y propósitos?

Discutieron con mi madre pidiéndole que se vaya del país, porque seguramente la iban a matar. Pero no lograron convencerla.

Es fácil señalar a las ONG por no haber zanjado a tiempo con Sendero Luminoso, por haberse dejado usar como "cajas de resonancia", como "tontos útiles".

Creo que sí lo hicieron, que zanjaron, muchas de ellas desde muy temprano. Las oficinas o áreas legales, por ejemplo, tomaron la directiva de no patrocinar a nadie que estuviera militando en Sendero. Solo se ayudaría a víctimas inocentes.

Pero quién es inocente y de qué. Eso ya es más complicado de definir. Lo ha mostrado en su estilo acucioso Marie Manrique (2014). Ella nos describe cómo inocencia y culpabilidad son construcciones discursivas, políticas y tácticas, identidades trabajosamente desarrolladas por los propios acusados, según su contexto y sus posibilidades les otorgaban oportunidades en algunos momentos. Y que también les son atribuidas desde fuera, por las ONG, las Iglesias, el Estado y otros actores. Es decir, ser inocente no es solo serlo y parecerlo. Forma parte de una práctica que se puede reconstruir. Más que una identidad fija, son decisiones en torno de esa identidad.

Esta historia se puede contar como la de una práctica hipócrita de las ONG, que abdicando de su mandato de defender a todos por igual, pues un derecho humano no es negociable, escogieron identificar inocentes de acuerdo con ciertos criterios de exclusión, defenderlos solo a ellos y abandonar a todos los demás, a los culpables, a la tortura segura, la cárcel, la desaparición y la muerte. Sin duda, es parte de la verdad. Pero prefiero ver esta historia no solo como un ejercicio de deconstrucción de la práctica inconsecuente de las ONG. No me parece justo.

Prefiero la historia resumida así: si lo que necesitamos para defender la vida y la libertad, en este contexto casi sin opciones, es tener inocentes, pues a construirlos.

Y ese es un mérito. Un mérito triste. Es obviamente un recurso de resistencia. Un recurso del débil. Al hacerlo, las ONG conseguían el máximo de bien posible en una situación desesperada. Pero sí, también dejaban a todos los culpables en la soledad.

La tortura, la violación sexual de las presas culpables, la impunidad. Se fundó el tabú sobre estos sujetos indefendibles, sin derechos, casi innombrables. A los que debíamos apartar de nuestro campo de visión para poder seguir trabajando. Aunque los viéramos sufrir en celdas y regímenes penitenciarios de espanto. Aunque se violaran sus derechos al debido proceso y no les permitieran salir de la cárcel cumplidas sus condenas. No verlo, mirar para otro lado. Ese ha sido el costo pagado por nuestra comunidad de derechos por obtener un margen de acción en medio de una guerra terrible.

Ese es un terreno y un sujeto que, hasta hoy, sigue fuera de amparo. Los derechos humanos trazaron su frontera allí, derrotados, impotentes, rendidos.

27

Un querido amigo que a mediados de los 80 estaba muy en el ajo, recuerda cuando algunos jóvenes activistas de la Coordinadora Nacional de Derechos Humanos elaboraron un borrador de comunicado, como les habían pedido sus jefes. En su propuesta, ellos condenaban por igual las violaciones cometidas por las Fuerzas Armadas y por Sendero Luminoso. Pero al revisar su propuesta, sus jefes, todos directivos de ONG pero al mismo tiempo militantes de izquierda, les dijeron algo como "no podemos colocar en el mismo nivel a los compañeros equivocados". Insistieron los jóvenes, pero la respuesta no varió.

Largos años le tomó a la izquierda y a muchos activistas que ahora son grandes demócratas aprender el lenguaje y el valor de la democracia. No hay una historia sencilla para contar estas cosas. Solo hay gente imperfecta, fallando en momentos de crisis, aprendiendo en plena guerra. O desaprendiendo viejos instintos, viejas fórmulas.

28

Un tarde me dijeron unos jóvenes que una filósofa había leído mi presentación en el Instituto de Estudios Peruanos como parte de las sesiones del Grupo Memoria,[4] y mi comentario sobre Lurgio Gavilán le había dado pie para decir, en un foro, que este era un personaje que justificaba los crímenes de Sendero, que a través de su testimonio lo que buscaba era exculparse, solicitando para sí una interpretación que lo comprendiera como un instrumento de otros, como una expresión de la banalidad del mal. Esta persona describía al libro y su autor como inmorales.

Sigo pensando lo que escribí en su momento: Lurgio Gavilán tiene una estrategia para contarse que le permite sacar adelante su historia, que es una historia terrible, de guerra finalmente. Por eso necesita un narrador que también es él, que sea niño. Por ello las cosas más terribles son solo elementos del paisaje. Por eso no es ni culpable ni cómplice de crímenes. Es testigo.

---

4.   Una versión preliminar de este texto se presentó en octubre de 2013 en el marco de los seminarios que organizaba el Grupo Memoria. Esta versión circula por Internet y fuera de sus terribles errores de redacción y ortotipográficos, no es muy diferente de esta.

Los académicos se pasman frente a él y pasman su crítica por muchos motivos pero, en parte, porque siempre los fascinará un subalterno, un indio manejando el lenguaje, escribiendo, exótico. Esos son algunos de los límites de la obra y de sus lectores.

Pero eso es muy distinto a calificarlo como inmoral o decir sin más que escribe todo un libro sobre su vida en Sendero y luego en el Ejército para justificarse. Es absurdo pensar así. En principio, porque nadie lo obligó a hacerlo. El valor enorme de Lurgio Gavilán no es tan solo su relato. Es su acto mismo. El que con toda su imperfección, nos haya regalado su historia. Y la haya expuesto y se haya expuesto allí, para que nosotros podamos ejercer sobre él y su obra (porque inevitablemente se confunden), la crítica. Y emitir incluso los juicios más duros. Como lo hace —sin notar que es un regalo amargo que le ha hecho aquel a quien ella acusa— esta filósofa kantiana, tan segura de su verdad.

29

Hortensia, una vieja amiga de mis primeros años de trabajo en derechos humanos, dirigente de una organización de afectados por la violencia, me contaba historias increíbles —entonces— de la vida de su padre, detenido y casi desaparecido en los 80, migrante a la selva en los 90 y allí finalmente, asesinado por las rondas campesinas.

Hortensia era considerada una senderista o casi. Ella no lo era, es una de esas personas casi invisibles que sostienen a su manera, desordenadas y confusas, el orden en este mundo de cinismo y barbarie. Ella quería justicia y hacía de su empresa casi ridícula, una causa de otros, a los que ayudaba desde la precariedad. Y sin contar de su parte con el prestigio que AN-FASEP u otras dirigentas tenían.[5]

Y es que Hortensia no cumplía adecuadamente el rol de víctima, no era débil, no lloraba mucho, se peleaba, discutía con las ONG, hablaba con los militares, tenía problemas judiciales en su trabajo que la hacían una carga para los abogados de las instituciones de derechos humanos.

Un comandante del Ejército, luego muy famoso por haber sufrido una muerte polémica, le decía que se dejara de molestar porque si no le iban a "dar vuelta". Él también la consideraba cercana a los terroristas. Pero en un viaje a una zona remota de la selva central, este comandante la hizo andar largo tiempo. Ella terriblemente asustada pensó que su hora por fin había llegado. La matarían cerca de donde podría estar, en algún lugar, el cuerpo de su padre. Al final del trayecto, en algún paraje especialmente inhóspito, el comandante le dijo acá es. Acá están los cuerpos. Sí, los mataron los ronderos. Sí, nosotros apoyamos.

Cuando todos son cómplices, hay algo que la palabra está dejando de contener. El comandante no dejó de pensar que

---

5. La Asociación Nacional de Familiares de Secuestrados, Detenidos y Desaparecido del Perú (ANFASEP) fue fundada en 1983. Institución emblemática en la defensa de los derechos humanos. Su presidenta honoraria y fundadora, Angélica Mendoza, es una mujer notable que, pese a las campañas en su contra, ha consolidado en ciertos círculos un gran prestigio y congregado unanimidad respecto de su valor.

Hortensia era una "terruca" o una tonta usada por los terrucos. Ella nunca dejó de tenerle al mismo tiempo miedo y gra-
titud. Ella recuerda que tiempo después lo vio por la calle y
casi da un salto de nervios, pero que él la abrazo y le invitó un
café. Él sabía o creía saber algo sobre ella, pero la ayudó. Ayudó a su enemigo. Y estos enemigos —en realidad agentes del
MRTA— después le dieron muerte. Quizá. Las versiones sobre
su asesinato son varias.

30

Hay cosas que se aprenden temprano. Son clases de instruc-
ción cívica que valen tanto como años en la escuela. Lo que
se siente entonces puede cambiar. Pero la lección básica nos
acompaña con persistencia. Porque se presiente cierta.

Gerardo era un muchacho de unos 25 años, de El Agustino, más bien callado, de trato tierno. Era fuerte, experto en las
calles, pero no grosero. Siempre limpio, afeitado, de cabello
corto y peinado con una raya al costado. Un hombre ordenado,
que sonreía ligeramente. Parecía siempre en paz.

Llegó con su familia a vivir en nuestra choza de esteras, al
pie del riel del tren. Gerardo siempre fue amable con nosotros.
Cocinaba, lavaba, le gustaba que todo esté aseado. No hablaba
mucho de política, contaba cosas sencillas de la vida, de sus
recuerdos, sus aventuras en el colegio.

Luego de un buen tiempo, Gerardo fue detenido y en-
carcelado en el penal de Lurigancho. Lo fuimos a visitar un

par de veces. Estaba igual, siempre bondadoso, atento, algo más flaco. Por momentos nos dejaba solos, porque tenía que cumplir alguna encomienda de sus dirigentes. Quizá estaba también menos pulcro, no en su ropa, quizá lo recuerdo con una barba de un par de días. Entonces no lo pensé, pero ahora entiendo que debía haber sido torturado por la Policía. Pero estaba allí, contándonos algunas anécdotas divertidas sobre los presos comunes.

A fines de 1985, un motín de los presos de Sendero Luminoso fue reprimido brutalmente por la Guardia Republicana.[6] Murieron alrededor de 30 presos. Estos motines eran un modo de ejercer presión y provocar reacciones que el PCP-SL pudiera capitalizar políticamente después. Pero la reacción siempre fue desproporcionada. Siempre desconcertó a las personas con las que yo viví o conocí. Nunca esperaban tal grado de brutalidad.

Yo no la esperaba en todo caso. No teníamos televisión pero sí radio y escuchábamos las noticias. Luego miramos los periódicos. Mi madre, la esposa de Gerardo y otros familiares de los presos estuvieron varios días frente al penal reclamando de un modo bastante angustiado.

Murió allí. Después vimos las fotografías de uno de los últimos lugares de resistencia del motín, en el "Pabellón Británico". Colocados frente a la pared, varios presos habían sido atacados por lanzallamas o por granadas incendiarias. Ahora no lo sé bien, tengo dudas, pero entonces la noticia decía lanzallamas. Lo importante para mí fue ver las sombras de grasa

---

6.   Véase *Informe final* de la CVR: <http://bit.ly/1jPSALT>.

y hollín sobre la pared. Como negativos de gente, detenidos en el último instante antes de dejar de pensar.

Hay un poema que dice algo sobre la boca de la sombra. Desde entonces no he dejado de pensar en esas sombras y su humanidad. La forma tan vulgar en la que puede acabar un ser humano. Pegado al muro, mera apariencia y contorno, menos que un objeto. Esa fue la lección.

31

Veinte años después encontramos a la esposa de Gerardo en un local de la Fiscalía. Estaba vieja, canosa, cansada. Encerrada en un tiempo antiguo. Reclamando aún. En algún momento mi familia la odió mucho, porque la vinculamos con la muerte de mi madre. Pero en los pasillos del Ministerio Público la vimos tan pequeña y acabada, que nos conmovió. La abrazamos.

Mi hermana, siempre más lúcida, le dijo suavemente: ya deja esto, descansa. Ella, por un momento abandonando su actitud de dureza, dobló su espalda, se dejó acoger por el abrazo, aguantó una lágrima, sonrió y nos dijo vayan chicos, vayan, cuídense. Alejándonos. Como a una tela de araña o como a un embrujo.

Allí extraviada debe seguir. Reclamando por un muerto de hace 30 años, una sombra pegada en la pared de un muro que ya no existe, rechazada como víctima por las instituciones, incluso las de derechos humanos. Tan fantasma como su muerto.

32

Algunas veces Pedro me llevó a vender plátanos en un triciclo en el mercado de La Parada. Casi no vendíamos nada, porque luego entendí que él usaba este disfraz para coordinar con sus compañeros del partido o para hablar con dirigentes de las zonas cercanas a los cerros. De todos modos, para mí fue interesante sentir el trabajo de ambulante y sentir el triciclo, que se podía maniobrar con facilidad.

Pedro estaba casado con una antigua amiga de mi madre, pequeña, desordenada, nerviosa. Alguien que tenía muchas ganas de ser dura, de estar a la altura del resto de sus compañeros del PCP-SL, pero que era de carácter débil. En algún momento ambos llegaron a vivir en nuestra choza. Eran como unos tíos jóvenes. Estábamos acostumbrados a los tíos desde toda la vida, así que no fue un problema.

La guerra era el marco de fondo de nuestra vida familiar, nuestra normalidad, como ir al colegio, acarrear agua, salir a jugar. Por eso no era extraño que nuestra choza se llenara de visitantes, jóvenes casi todos, cansados, con bultos que sabíamos que eran armas de diferentes modelos y tamaños.

Ya había visto varias veces las cajas que tenían tubos forrados de papel marrón, blandos al contacto, que parecían unas plastilinas muy grandes. Pero me habían advertido que no las tocara. Pero una mañana Pedro, quizá apremiado por la urgencia, y sin tener otro apoyo a la mano, me enseñó a manipular el material sintético con el que se hacían los cartuchos de dinamita.

Fue como hacer una tarea de formación laboral del colegio. Se aplastaba la plastilina, se acomodaba en una lata de
leche, se cortaba un pedazo de fulminante, se colocaba un pe-
dacito de metal y como mecha, se pegaban unos fósforos. Algo
así. Sobre todo recuerdo la choza inundada de luz, arrodilla-
dos en el piso de tierra, hablando de cosas cotidianas, oliendo
esos materiales interesantes, mientras afuera, todo el barrio
bailaba alrededor de una yunza. Por eso sé, era febrero o mar-
zo, era carnaval, debía ser 1985.

No me planteaba claramente entonces la moral de esta ac-
tividad. Es decir, no pensaba detenidamente en ello. Pero algo
sabía. No era un niño ingenuo. Si estas cosas se hacían en mi
casa, si las hacían mis jóvenes amigos y "tíos", bajo la tute-
la de mi madre, debía ser correcto. Además, también lo creía
personalmente. Mi educación había sido precaria en términos
escolares, pero muy letrada, muy democrática, muy dialogan-
te. Era un niño viejo y culto.

Que te eduquen desde niño para mirar la pobreza y para
que te duela, acaba por tener resultado y se vuelve una especie de naturaleza y sentido común. Ahora cuando se dicen o
escriben cosas así, suenan patéticas y bobas, más si se dicen en
público. Pero no veo otra forma de describirlo. Una pedagogía de la solidaridad y sensibilidad extrema fue organizada no
sé si en todos los casos de familias de izquierdistas radicales
o de algunos senderistas utópicos, pero así fue en el caso de
algunos.

Lo cierto es que esa fue mi manera de relacionarme con
mi mundo, creo que en parte así eran también los adultos que
entonces militaban en Sendero. Solo que quizá por ser un

niño, todas estas sensaciones y aprendizajes se convirtieron en mi lenguaje materno, mi ADN.

Así que no sé cuál es el grado de mi complicidad en todo esto. Ayudé a esconder armas. Quemé y transporté documentos. Preparé una tarde de verano cartuchos que luego no sé cómo fueron usados (pero que puedo presumir cómo fueron usados).

Todo esto lo hice creyendo en una posibilidad de un futuro diferente. Pero al mismo tiempo, odiaba esa vida, poco a poco fui observando la miseria de este partido y sus contradicciones. El horror de la violencia. El miedo. Pero sustancialmente no el miedo por mí. El miedo por los demás. Por mi familia, por mi padre y luego por mi madre.

Y las muertes, tantas muertes. No podía tener demasiado valor esa revolución si generaba esta matanza. Muchos ya pensaban así, y lo hablaban. Pero de los que conocí, no sé por qué, no salían, seguían, seguían.

33

¿En serio nadie ha hecho una pizarra?

Invierno de 2012. Sara, sorprendida, pasea su mirada por el grupo y cariñosamente recrimina a sus compañeros del Taller de Memoria, al parecer, demasiado modernos.

Miren —dice con paciencia— hacer la pizarra para anunciar nuestro evento quiere decir que hablamos en el idioma del estudiante, así es como se comunican las cosas importantes desde hace décadas en la universidad. Es una tradición.

No hay consenso. Parece un tema secundario, pero se enciende la polémica. Todos en el taller tienen poco tiempo libre. Dedicarle una noche a dibujar letras chuecas en un pizarrón viejo que se mojará con la lluvia no parece razonable. Intentan disuadirla.

Mira Sara, será tradición ¿ya?, pero son feas, no vas a decir que no, se ven como de otra época, todas mal escritas... Eso depende de la gracia que le pongamos. Pero nosotros precisamente no tenemos gracia, no sabemos hacerla. Yo sí sé hacer ah, ustedes que son inútiles señoritos. Pero si se ven, cómo decirlo... marxistoides. No todas son así. No lo niegues Sara, parecen dazibaos de la revolución cultural China. No, no, no, ya no son así, ¿o no Karen, di si ahora también no hay alegres, con figuras y colores, con esas zonceras que a ti te gustan? Ah, o sea que ponerles algo de diseño es zoncera? No quise decir eso, pero estos hombres pues que no saben nada y solo critican. Pero ya pues Sara, de verdad, es obvio que son feas. Acá lo obvio es que tú no sabes nada. Bueno, pero además para qué nos vamos a cansar si podemos mandar a imprimir una gigantografía. Ahí está. Eso es lo práctico. Eso es indiscutible, la historia avanza, antes eran pizarras, ahora son afiches. No hay que hacer dramas. Pasemos de una vez al otro punto de la agenda.

Sara toma aire, toma un sorbo de su manzanilla. Acomoda sus lentes. Se inclina. Miren, dice con su voz cansada, los alumnos se detienen a leer las pizarras, sí las leen, no es como la publicidad. La pizarra precisamente, así, chueca, con sus horrores ortográficos, con su pobreza de medios, es parte de una identidad. Todos saben que es para decir las cosas importantes.

La escuchan, aún indecisos. Ella termina con el lapidario: "la verdad, no parecen sanmarquinos".

¿Y bien?

Debe haber sido 1989 o 90. El compañero me palmea, entusiasmado. Me muestra la obra terminada. Observo cómo ha quedado la pizarra. Grandes letras rojas. Un par de consignas. El llamado a un evento cultural en homenaje a la mujer revolucionaria. En medio de la pizarra, pintado con plumón rojo sobre papel IBM, una mujer con el puño levantado mira hacia adelante, hacia el horizonte, la victoria o el futuro.

La noche anterior la dibujé. Me convocaron al dormitorio de estudiantes porque "tú sabes dibujar pes compañero, apoya la causa". Y la pasé bien con esos muchachos un poco bastos, que me invitaron mandarinas y me hablaron del gran plan del partido, del equilibrio estratégico y varias cosas más. Puse empeño. Quise plasmar una mujer sencilla, del pueblo, como cualquier mujer valiente que trabaja duro y que se decide a luchar por una causa.

Acabé. Me agradaba esa mujer de papel, bella pero firme. Como me gustaban quizá, sin saberlo bien. La cosa es que estaba satisfecho.

Quizá por eso no esperaba la andanada de críticas que recibí de inmediato. Era unánime el rechazo. La has hecho muy femenina. No refleja la voluntad de nuestras combatientes. Debe ser más dura. Sobre todo compañero, debe reflejar su

"odio de clase". Me dieron el plumón para corregir. Pero algo
así como un confuso sentido de libertad creativa y de amor
propio me lo impidió.

No me presionaron, me agradecieron la colaboración y
me despidieron con mucha amabilidad. Aunque sentí en realidad, condescendencia, algo como "qué se puede esperar de
este pequeñoburgués".

En la pared de la facultad está pegada mi obra, mutilada.
Una mujer a la que han agregado a punta de trazos gruesos,
con poca destreza, una mirada oscura, un gesto iracundo. Y a
la que han quitado toda su belleza. No podía ser una mujer
bonita. Debía odiar.

Me despedí. Me alejé callado.

Casi 25 años después, los jóvenes del Taller de Memoria
trabajan hasta muy tarde un jueves por la noche. Plumones,
goma, papel, lápiz, bromas, disputas estéticas, fotos. Sacan
adelante, siguiendo una vieja tradición, la pizarra más grande
que jamás haya visto la Universidad Nacional Mayor de San
Marcos. Y aunque en efecto, quedó chueca, se nota que tiene
otro espíritu. Apoyada en la pared, dando la bienvenida a la
facultad, enorme, parece indicar, para el que sabe ver, que las
pizarras también tienen una forma de memoria. Fea.

34

Muchos años pasaron. Mi madre no permitió jamás que ingre-
sáramos a Sendero Luminoso, como hacían muchos otros adolescentes en nuestra situación. Pese a que otros compañeros

así lo reclamaban. Alguna vez, uno prácticamente me organizó, sin consultarlo. Mi madre lo cuadró, lo amenazó. Ella me decía que estaba metida en esta maldita guerra para que nosotros ya no tuviéramos que hacerla. Para que pudiéramos vivir la paz.

35

Pero no estaba segura de que llegáramos a vivirla. No estaba segura de nada. Con los años ella ya no creía más en Sendero. Sus hijos la atacábamos incesantemente, mostrándole las debilidades e incoherencias de su querido "P". Fuimos duros. No entendíamos entonces que para ella salir era casi imposible.

Aún hoy la entiendo solo a medias.

Pero aunque ella no nos quisiera como combatientes, nos preparaba para la vida. Me entrenó por años para resistir la tortura. Para soportar la respiración bajo el agua. Llegué a soportar mucho rato. También a controlar nuestras emociones. No llorar, no mostrar debilidad, menos ante los enemigos de clase. Serenidad. Resolver.

Ella decía que debíamos escoger una profesión pensando en el futuro del país, en lo que iba a necesitar la revolución cuando acabara la guerra. Mis preferencias por las humanidades la hacían reír. "No —me decía— tú estudiaras estadística, o física". Cosas útiles. Para construir la sociedad de nueva democracia.

Qué lejos de sus sueños. Qué lejos de su utopía quedó todo.

36

Ella caminó por la playa. Serían las 12 de la noche. Pensó que sus hijos iban a esperarla en vano para cenar salchipapas de a sol cincuenta y discutir de política antes de dormir, como era costumbre. Le hubiera gustado avisarles que no llegaría, pero cómo.

Miró hacia abajo, vio la arena, la espuma que llegaba y se iba, sus pies. Sintió los disparos, los tres en la espalda, como las palmadas de un amigo que te ha esperado mucho.

Se tendió junto al mar, respirando fuerte, pensando en su mamá y en cuánto la extrañaba, con sus canciones y sus remedios de hierbas, respirando aún, mal, mal, una pantomima de respirar. Y en sus hijos. Y la angustia súbita.

Y por primera vez ver la sangre corriendo hacia el océano, abandonándola. Desaguándola. Acabándola. Respiró más. Más. Como sea. Respiró apenas.

"Los crié para esto". Como si alguien le hubiera soplado el pensamiento en la oreja, bajito. "Ellos comprenden". Y entonces de nuevo la calma. Y ver que su sangre no la abandonaba, que el océano la acogía, sereno. Para ser en la mirada de sus descendientes.

Y no cerró los ojos para verlos también.

Y por fin, no respiró más.

37

Cuando mi madre murió y, luego, a los meses, fue apresado Abimael Guzmán, me di cuenta de pronto que en varios sentidos mi vida anterior también se había extinguido. Y al mismo tiempo, mi futuro.

Yo había sido educado en valores que no tenían sentido, que hubieran servido de haberse instaurado el socialismo utópico. Mis habilidades sociales eran inservibles, no más solidaridad, no más sufrir por los demás, no más ofrecer amparo. Pero uno no apaga estas cosas como si fueran botones de una máquina. Mi lenguaje tampoco servía ya, no solo era poco práctico, sino que era tabú, era objeto de sospecha. Mis lecturas, mis libros preferidos, todos inservibles. Mis amigos muertos. Mi familia dividida. Mis hermanos separados e igual de confundidos. Pero sobre todo me sentía solo. Esa extraña sensación de haberme quedado de pronto como el único habitante de un planeta que no existió.

V. Las víctimas

Yo creo que hay que moverse del lugar de la víctima; mi hijo vivió veinte años, era poeta también, y yo celebro esos veinte años de vida.

Juan Gelman

38

En los últimos tiempos, se ha insistido desde las ciencias sociales y los nuevos trabajos sobre memoria histórica respecto de la necesidad de descentrar los análisis, apartándonos del paradigma de los derechos humanos.[1] Esto trae como consecuencia que la víctima deje de ser también el actor principal de las historias de la guerra, y de los trabajos de reconstrucción de la memoria de las localidades (Oglesby 2007, Del Pino y Yezer 2013).

---

1. Hoy las ONG, sobre todo internacionales, sostienen un sistema elaborado a partir de conceptos como Justicia Transicional, que procuran sistematizar experiencias de graves crisis políticas y conflictos armados en el mundo, principalmente de comisiones de verdad, y pensarlas como un modelo replicable. Una expresión actual de esta posición la expuso Eduardo Gonzáles en el *Seminario Internacional Políticas en Justicia Transicional* celebrado en Lima en 2013.

Las críticas sobre el "enfoque de la víctima" son muchas y válidas. Que hace al sujeto unidimensional, desviando la mirada de su rol como actor en la guerra y la posguerra. Deja de lado el problema de las motivaciones y la voluntad de los sujetos para poner de relieve exclusivamente el daño que ha sufrido. Inicia un proceso de purificación de los actores quitándoles su agencia política (la inocencia de la víctima). No ayuda a conocer las estrategias de las comunidades e individuos para pensar o dejar de pensar sus memorias (memorias selectivas), sus acercamientos tácticos a los centros que legitiman sus derechos como beneficiarios de políticas de reparación o justicia (ONG, el Estado, la cooperación internacional). Finalmente, tampoco ayuda a analizar las dinámicas internas, de micropolítica, como las que se dan en las comunidades campesinas de Ayacucho, donde *todos son víctimas, pero algunas más que otras y todos son victimarios, pero algunos un poco más*, y donde por lo tanto, estas divisiones aparecen poco funcionales.

Que la víctima haya sido por décadas el centro del discurso respecto de la guerra no ha sido gratuito, ni ha sido un error. Pero hoy esa urgencia ha cedido. No es que las demandas de verdad, justicia y reparación hayan sido atendidas. Es que la necesidad de comprender la guerra también se hace poderosa, pide su lugar junto a la agenda de las organizaciones de afectados y las ONG. Y cada nueva investigación hace evidente la limitación del viejo enfoque.[2] Los pueblos y los barrios

---

2. Una reflexión desde esta perspectiva de derechos, referida específicamente al tema de los lugares de memoria la ofrece Félix Reátegui (2012). Puede ser que Reátegui, en su afán de preservar la mejor herencia de la CVR, se exceda en desprender solo de ella lo que puede ser ético y responsable

están poblados de recuerdos y estos nos hablan de personas con experiencias complejas, que no se dejan encasillar en las categorías de víctima y perpetrador. En el esquema antiguo, la guerra aparece como un hecho extraordinario, un paréntesis en la historia de las comunidades o barrios, una guerra que les cayó encima y con la que casi no tienen nada que ver, ninguna vinculación como no sea la de sufrirla. La propia experiencia del Estado, por lo menos de las fuerzas armadas, no encaja de modo tan simple como una mera memoria del mal.

Sujetos con agencia, destacando su voluntad, sus motivaciones, su perfil político. No más víctimas, no más desvalidos entre dos fuegos, ya no inocentes abatidos.

---

re-presentar, y esto no le permita tomar el pulso de los procesos sociales actuales sobre las memorias locales (Portugal 2015), que es sobre lo que llaman la atención Del Pino y Agüero (2015). Pero ¿se equivoca en todo? Acaso motivados por re-encontrarnos con las voces diferentes y criticar el modelo de justicia transicional no pasamos por alto algo clave sobre lo que sí insiste Reátegui: si no se conmemora para las víctimas entonces, ¿para qué conmemorar? Y si la respuesta es: se recuerda no solo para conmemorar y se conmemora para otros además de las víctimas y las víctimas mismas son desestabilizadas como punto de referencia, entonces hay que preguntarse otras cosas: a) cuál es el punto de referencia para una política de memoria, b) conmemorar, si se hiciera de modo radical y no como una negociación de lo que se permite conmemorar, ¿ya no sería suficiente como para agregarle más fines a un memorial?, c) aunque no tenga más efectos que el estar allí —objeto de la mirada que se demuestra a sí mismo— un memorial ha fracasado? ¿Cómo sería que tenga éxito? ¿Que genere qué en los ciudadanos? Cierto, recordar y honrar puede no bastar, pero en esta sociedad indiferente y cínica ¿acaso es poca cosa?, ¿acaso ya no es radical un poco de respeto?

39

Pero antes de recobrar al actor y dejar de lado a la víctima con tanto entusiasmo académico, puede ser importante pensar algunas cosas.

Pensar en las fuerzas que modelaron, condicionaron, influyeron en las decisiones de estos sujetos. O que hicieron que tomar decisiones fuera muy difícil o incluso imposible. O que los colocaron ante la disyuntiva de tomar decisiones de altísimo costo moral, económico, político o simplemente humano. Como las que ahora conocemos: decidir que debían matar a vecinos, a familiares, a senderistas, para poder demostrarle a las fuerzas armadas de qué lado estaba su lealtad.

En muchos casos esa fue la agencia. Una agencia miserable.

40

Dice Elizabeth Jelin (2012), criticando la vigencia del paradigma de los derechos humanos, que mantener la centralidad cultural de la víctima genera que no importe lo que la persona hizo, sino lo que se le hizo. Ello nos quita al actor y nos entrega un personaje indefenso, despolitizado, donde lo que ponemos de relieve es que haya sido violentado en sus derechos y que haya sufrido. Por lo tanto, revalorar al actor es contribuir a recuperar a todos estos sujetos en su humanidad compleja.[3]

---

3.   Entrevista dada a Javier Torres en Lima y publicada el 1 de septiembre de 2014. Puede verse en: <http://bit.ly/1oAL8kD>.

Recuperar al actor. Pero ¿cómo, cuán profundo, a cuáles, quién debe recuperarlos? Creo que estas palabras siguen siendo tan superficiales. ¿No basta ya recuperar el momento de dolor de alguien, que ya es mucho, para que obtenga algo de la resignificación que merece? No. Hay que recuperar y exponer toda su miseria vital, toda su vidita ruin, simple o miserable para que los letrados podamos comprender mejor los procesos y escribir sobre ellos. O si se quiere tener motivos éticos, para que la sociedad se mire mejor a sí misma y saque lecciones cívicas. Pero ¿cuándo el examen de actores de una guerra o una masacre nos han hecho mejores? ¿Cuándo saber que un carpintero ha odiado el amanecer y salía por las tarde a comprar pan nos ha preparado para enfrentar los días que ya no vio, días que siguieron a su tortura?

¿Enfocarse sobre lo que la gente hizo es más valioso que enfocarse en lo que le hicieron? ¿Lo que le hicieron, lo que su cuerpo acogió, no nos dice más sobre el tipo de vida y muerte que le tocó en suerte compartir con otros de su época y generación? ¿Lo que le hicieron no es una parte, quizá la más viva de lo que hizo su cuerpo, resistiendo, acabándose, dejándose moldear, una arqueología de los mecanismos de la violencia siendo en él, como una huella?

Me duele no comprender, no estar seguro de estas cosas, no poder compartir enteramente este entusiasmo que abandona al dolor como un mal punto de apoyo, a la tragedia como un error para mirar la violencia y abraza la celebración de la vida entera. "Por todos los placeres que voy a perderme, ayúdame, Señor, ayúdame a morir". Eso escribió dos días antes de morir en una de las más horribles de las batallas del siglo pasado el

poeta William Hogson. Su agencia, el miedo. Desear y pedir
ayuda para poder ser un soldado, ser un hombre y poder tener
un final.

El miedo. El miedo. Recuperar ese miedo no solo el cer-
val ante el peligro, sino el que destruye las certezas, el de
enfrentarse al horror desde un pequeño uno desamparado y
confundido. ¿Sentir un poco de ese miedo podría calmar este
entusiasmo?

41

Los esperamos en la noche, los dejamos pasar como siempre,
diciéndoles que su comida estaba allí. Llegaron sin sospechar
nada. Adentro los agarramos de sorpresa, les amarramos, solo
uno tenía arma. Todos los hemos sacado a golpes a la plaza
y con piedras y palos, y así con machete los hemos matado.
Muchachos eran. Dos eran chicos del colegio de acá mismo.
Los hemos enterrado cerca, en una chacra. Y hemos guardado
ese secreto. Por eso, por revelarnos, luego miembros de esta
organización nos ha matado el año siguiente. A casi todos los
dirigentes los mataron.

Algo así me contaron en una comunidad. Pero no solo a
mí, cuántos que han trabajado estos temas conocen decenas
sino cientos de historias similares. El relato de un familiar de
una víctima. Víctimas despedazadas por Sendero o por los militares frente a sus hijos, parejas, padres. Y que son víctimas
asesinas. Haciendo "micropolítica".

La desesperación y el miedo son, pues, parte de la agencia que debe recuperarse. Está bien. Pero entonces hay que hacerlo sin selecciones, sin medias tintas. Hay que hacerlo con todo su nombre y sus consecuencias.

En una reciente presentación en el *Lugar de la Memoria*, Ponciano Del Pino llamaba a prestar atención a las "impurezas de la guerra"[4] para poder narrar la complejidad. Entiendo lo que quiere decir y comparto su intención inicial, alejarnos de narraciones ingenuas y estereotipadas. Pero también siento que hay que dejar de lado ese tipo de retórica, porque al usarla nos engañamos más, pues el lenguaje parece decirnos algo pero solo es un disfraz de nuestra confusión. No hay purezas ni impurezas en una guerra, el horror es eso, horror. Hay que recuperarlo y describirlo y revivirlo y luego, sacar sus consecuencias, mirarnos sin trucos con la mugre compartida o propia. Y a ver si podemos reconocernos.

---

4.   La presentación del libro *Las formas del recuerdo. Etnografías de la violencia política en el Perú* (IEP, 2013), editado por Ponciano Del Pino y Carolina Yezer. Se presentó en el Lugar de la Memoria, la Tolerancia y la Inclusión Social el 5 de junio de 2014 con la participación de los editores y el comentario de Ludwig Huber. Volveremos a esta mesa. Con "impurezas", Del Pino hacía alusión a la tan mentada "zona gris" sobre la que reflexionó Primo Levi y que en nuestro país es redescubierta por quienes quieren decir que no hubo víctimas entre dos fuegos y no todo se puede contar apelando al discurso de la víctima inocente y el perpetrador. Sin embargo, vale la pena preguntarse si no hubo realmente víctimas entre dos fuegos. Pero mirarlo otra vez sin tanta ingenuidad o sin el apremio de defender, que fue el mandato del momento en que se construyeron estos relatos. ¿Realmente se cree que por tener un poco de margen de acción, no estuvieron la mayoría de comunidades sometidas en gran parte de la guerra a dos fuegos que no eran ellas y que las desbordaban? En todo caso, no se trata de oponer un mito a otro. Hay que estudiar esto con detalle.

42

Otra víctima que no es.

Me pasaron electricidad, me hicieron la tina, todo eso que ya sabes. Luego esos malditos me violaron. Días, semanas, perdí la noción del tiempo. Pero no rompí la regla de oro. No les dije nada. No sabía si estaba sola o acompañada, pero había alguien, oía su respiración pausada. Pero estaba vendada. No podía saber si era otra detenida o uno de la DIRCOTE. Pensé que moriría allí. Pero ya ves, me llevaron al penal. Me enfermé y ahora estoy así (camina con dificultad), por la tortura. Pero a quién le importa. Ahora acá, nadie sabe nada. Sino, cómo haría, me botarían de repente de mi trabajo en el colegio.

Esta mujer, que fue de Sendero Luminoso, participó activamente de acciones en Lima. Asesinó, perjudicó de un modo imborrable a decenas de familias. Pero no es una mujer loca, ni un monstruo sádico. Tampoco es un típico desvalido como se suele pensar a la víctima de violaciones de los derechos humanos. Es una citadina que nació en un barrio marginal, achorado.[5] Pero que por razones muy diversas, generacionales, familiares, por una propia inclinación, por influencias, por mil cosas, se enroló en Sendero Luminoso. Y nos encontramos frente a una mujer que cometió crímenes pero cuyas motivaciones no fueron, cómo decirlo, bajas.

Pregunté a mi madre si la habían torturado cuando la detuvieron, antes de que fuera ingresada al penal de Chorrillos.

---

5.   "Achorado", modo de decir en Lima peligroso.

Nunca me contó detalles. Siempre decía "después". Porque ella no se sentía una víctima ni quería que nosotros nos colocáramos en esa condición y porque administraba la información sensible como haría cualquier persona con otra de su entorno cercano, para cuidarnos. Pero puedo suponer que lo fue, que también pudieron violarla como a esta vieja conocida que me habla desde su mesa de madera y su mantel de plástico a cuadros.[6]

Estas terroristas o exterroristas, estas mujeres culpables, no buscaron ser víctimas. A nadie le ha importado tampoco construirlas como tales. Decir "terruco" o "terruca" es como decir "bruja" o "demonio". Este rótulo fija a una persona como un horror-error. Un ser de espanto ajeno a la comunidad, que debe ser eliminado. Desde este lenguaje es imposible un intento por recuperar a estas personas como sujetos políticos.

Cuando desmantelamos la centralidad o la función social de la víctima, ¿estamos pensando seriamente en personas como estas, que ni siquiera han tenido el modesto consuelo de ser tratadas como víctimas por su comunidad? Si tenemos razón y debemos salir de la víctima, ¿en qué páramo sin nombre

---

6. Nuevamente mi hermano me señala, con razón, que mientras éramos chicos, nosotros nunca crecimos con la angustia de pensar que nuestra madre podía sufrir violación. Torturada sí, quizá, pero no violada. Y que escribirlo así, hace parecer que este temor formó parte de nuestros apremios. Es cierto, no lo vivimos así, pero ahora sé que pudo ser. El recuerdo no es el único recurso para argumentar en este tema. La CVR constató que la inmensa mayoría de presas mujeres que entrevistaron sufrieron violencia sexual por parte de las fuerzas de seguridad. Y aunque mi recuerdo no incluya ese temor, contando desde el presente, veo que debí sentirlo. Y es como una revelación por los miedos que la ignorancia o la niñez nos evita. Pero hoy quiero contarlo así, porque esas mujeres —las que han sobrevivido—, esas terrucas, tienen derechos.

quedan estos sujetos? ¿En qué lugar sin nombre dentro de nuestro mundo de memorias y derechos?

Fantasmas que ni siquiera pueden ser víctimas, que son no-enunciables en el lenguaje convencional, semisujetos.

43

Lo conozco desde que yo era un adolescente. Vendía libros en la universidad. Cuando todos fueron detenidos o asesinados, desapareció. No pensé en él mucho tiempo. Luego lo volví a ver, vivo. Al cruzarnos la primera vez casualmente, esquivó mi mirada, que era una invitación al saludo. Aún lo hace. Los dos sabemos que sabemos y eso debe incomodarlo.

¿Y este antiguo senderista, no solo culpable sino "traidor", qué es en medio de este relato? ¿Fue vindicado para nuestro mundo de ciudadanos normales solo porque en su momento, posiblemente apremiado por el tormento, delató a sus excompañeros y colaboró con los agentes de seguridad del Estado? ¿Eso lo ha convertido en qué?

Pobre muchacho al que mi madre dio de comer tantas veces. Que ha sufrido tanto y que recuerdo como un mozo alegre y algo bobo. Ojalá no me evitara y me pudiera hablar sabiendo que no tiene nada que ocultar. Que nadie puede reprocharle a nadie el modo de sobrevivir el espanto.

Esa es su agencia y eso es lo queremos recuperar: está bien. Que ese ejercicio duro, crítico y cruel se haga. Porque la verdad no es un absoluto ni es solo una palabra (o sí lo es, no lo sé), quizá sea un ir develando con esfuerzo y paciencia, con algún sentido final, que apenas se presiente.

Pero si es así, entonces también debería pensarse sobre su identidad y lo que estamos dispuestos a otorgarle.

44

Por eso cuando ahora se escribe y se pide descentrar a la víctima y pensar en los sujetos de la guerra, se debe tener en cuenta varios recuerdos: la "construcción de la víctima" no fue solo un proceso discursivo. La víctima se construyó antes (o simultáneamente a su nombre) al sufrir los cuerpos y las voluntades la coerción. La víctima se construyó al destruirse. Víctima alude a un proceso, por efímero que sea, por breve que sea, en que un individuo o una comunidad fue sometida a otras voluntades que iban en contra del sentido propio de su reproducción.[7]

Ser víctima es como una marca. No se borra simplemente con el paso del tiempo o porque se necesite desde las ciencias sociales comprender mejor la sociedad y sus conflictos. Un día antes de ser torturada una persona era muchas cosas: obrera, padre de familia, jefe de sindicato, jugador de fútbol. Al día siguiente de sobrevivir a una tortura, es un herido, un preso,

---

7. Quisiera rescatar este punto básico: nadie quiere ser víctima del horror. No es solo un tema de lenguaje o discurso de los actores, es una expresión en los cuerpos. Y acá quiero matizar los puntos de vista de Manrique (2014), Del Pino y Yezer (2013), Del Pino y Agüero (2015) y otra literatura internacional, algo fascinada con el redescubrimiento de que las víctimas también son personas.

un sospechoso o un culpable, un potencial desaparecido o un héroe. Pero todas estas nuevas propiedades las adquiere al ser creado como víctima. ¿Por cuánto tiempo?

¿Por decisión de quién? ¿Y por decisión de quién deja de serlo? ¿Y no es su cuerpo el guardián de su padecer?

45

Ser víctima no es algo estable. Hay personas que buscarán ser víctimas, irán tras de esa marca, que otorga sentido y respeto a una vida que antes solo fue muerte, que solo fue un cadáver más. Agrega un estatus deseado por justo. En este sentido ser víctima es un trofeo, un honor, una dignidad.

46

Y está el tiempo. Ser víctima también es algo que está en el horizonte de las generaciones que llegan luego. Como en España. Luego del pacto de la transición, de los muertos olvidados y las fosas ocultas, que fueron el precio para la estabilidad, son el objeto de un rescate en su calidad de víctimas de algo que tiene sentido recuperar. Es decir, acá el término víctima no quita, sino que agrega un elemento para el mejor conocimiento y designación de esas muertes y de las sociedades. Ser víctima completa la descripción.

47

El entusiasmo iconoclasta por estallar por los aires los rótulos como *víctima* e *inocente* también debe ser objeto de sospecha y crítica. Si no hay víctimas entonces todos somos iguales. Nadie es culpable. La historia lo explica todo y las responsabilidades pasan a ser solo un tema de moral individual y relativismo, que no sería algo necesario para comprender el pasado y la vida política.

Los procesos sociales, los contextos, las causas de mediano y largo plazo sustituyen las voluntades, y al quedar estas fuera de juego, también desaparece la distribución de las culpas, los daños y la necesidad de un ajuste de cuentas, personal y de la colectividad, para con los actores.

48

Ser víctima es un proceso largo y complejo del cual también se puede dar cuenta, se puede historizar, pues es sobre todo una acumulación de privaciones. La víctima ha sufrido y este sufrimiento tiene su historia, sus hitos, sus contradicciones, sus circunstancias de decisión, sus ritmos, sus crisis.

Las personas son privadas de todo lo que pueden ser y podrían haber sido. Este cambio drástico en sus potencialidades, es la condición esencial de la víctima: una vida que ha sido trastocada de modo extremo.

La forma en que se detiene la vida cotidiana, que se suspende lo que naturalmente sigue al día siguiente, lo más ordinario y al mismo tiempo, lo más íntimo. "Recordad, eternamente recordad / a todos los muertos desconocidos de Hiroshima: / al viejo pescador que había tejido / con hebras de sol una nueva red / a través de la cual / brillaban los pétalos del océano / como violetas perfumadas; / al hombre caído frente a su casa / en el preciso instante en que sonriendo a los pequeños / les mostraba / una vieja bicicleta recién comprada (...) A la muchacha que dentro de un cuarto de hora / debía encontrarse con su novio...". Así nos dice Eugen Jebeleanu. Paralizado ante el modo en que unos segundos de futuro pueden clausurarse como si nunca hubieran formado parte de una secuencia que los hacía (casi) inevitables y lógicos.[8]

La experiencia de la víctima les pertenece sin duda a ellas y sus familiares, que son otro tipo de víctima. Pero no les pertenece la comprensión o análisis de esa experiencia.

Esto es cierto. Pero esa comprensión no puede, para ser completa, dejar de considerar la condición de las víctimas y su existencia real, no solo pensarlas como rótulos o momentos en una estrategia de defensa de derechos.

Porque en una guerra el daño es un tema central para comprender las relaciones. Funda un mundo de víctimas. Un pueblo está habitado de víctimas. Esa es la primera condición para acercarse a él. El país, el mundo entero es una fosa común. Sin esa honestidad, se cae en la arrogancia del intelectual o del esnob, o peor aún, en un nuevo vicio de la institucionalidad de

_____

8.   En Jebeleanu s/f.

derechos humanos como lo fue el activismo narcisista antes: la tecnocracia.

49

En países como este, que ya han pasado por su guerra, sus largos años de olvido, su dictadura y su comisión de la verdad: que han impulsado un puñado de juicios y la progresiva burocratización de la justicia y la reparación, a la larga indetenibles, los grupos intelectuales muestran cierta ansiedad.

Se suele escuchar en talleres y conferencias cosas como "el Informe de la Comisión de la Verdad solo es un índice que debemos llenar", o "hay que profundizar en el tema de la memoria". Y aunque esto me parece razonable, es como si llevara dos o tres décadas de retraso. Muchas víctimas han pasado a otros temas, o han muerto o están muy ancianas. Pero hay que ir a rescatarlas de la amnesia o del atraso.

Hay un cuento de Asimov, el de los monos alienígenas, que vigilan y esperan que los terrícolas nos matemos para llegar con su ciencia a descontaminar, rescatar sobrevivientes y mejorar la nueva sociedad. Ellos están convencidos de ser la raza más bondadosa del universo. Pero el terrícola, un tipo corriente, que cogieron para analizar, les dice "son buitres".[9]

---

9.   "Los buitres bondadosos", de Isaac Asimov, en su célebre conjunto de cuentos *Los nueve futuros* (Asimov 1969).

Esta noche que estoy sentado en la sala de la Universidad Católica, oyendo a los técnicos de la justicia transicional hablar con tanto brío, veo una tecnología que comparto, pero que muy en el fondo, me parece envilecida. Toda una disciplina y sus expertos constituyéndose pulcra, para ir tras los pueblos que se han matado en exceso.

50

Chamberlain ha quedado marcado para la historia del siglo XX, quizá injustamente, como el triste apaciguador. Con sus concesiones a Hitler, no ganó nada, casi ni tiempo. Solo dio las pruebas que necesitaba el nazismo sobre su capacidad de coerción y la debilidad de su principal rival.

Pienso en la CVR, las ONG y el Consejo de Reparaciones. Sin mezquindades, lo que han hecho con sus limitaciones, en estos años, es mucho. Pero también esta posición defensiva, de concesiones a los poderes establecidos para hacer "política real", para arrancar algún beneficio para los afectados por la violencia, ha tenido su costo en el mediano y largo plazo.

El Consejo de Reparaciones, que luego de la desaparición de la CVR ha sido la institución que mejor ha encarnado su continuidad, es un ejemplo de esta tensión eterna en la historia del mundo. Han tenido que soportar maltratos, recortes bruscos de presupuesto y personal, cierres temporales, cambios de rectoría, vapuleos mediáticos y denuncias. Y han sido años de esta mecánica. Pero allí están, han aguantado. La pregunta es ¿no pudieron también optar por decir basta, rechazar este evidente acoso, este ninguneo del tema por parte de los gobiernos? Quizá si lo hubieran hecho todo, el proceso de registro de víctimas que hoy tenemos se habría frustrado. Pero quizá se habría ganado en la recuperación de ciertos sentidos.

Se aceptó que las víctimas vinculadas a Sendero Luminoso no podían formar parte del proceso de reparaciones. Esto, lo saben bien, es una negociación de un derecho humano fundamental no negociable. Conozco y seguro ellos conocen muchas más, personas que por haber sido sindicadas como terroristas por otras, sin haber sido juzgadas por ello, se han quedado al margen de su registro. Y estas personas no pueden ser más víctimas y si se quiere usar ese lenguaje, más inocentes que cualquiera, que yo, que muchos de los que van por la vida tranquilos.

Recuerdo al dedicado líder de desplazados el día que se le tuvo que decir que ya no podía ser dirigente en su zona de Apurímac. Él había organizado a la gente, era el alma y motor de esa pequeña base activa. Pero no iba a poder ser nunca inscrito como víctima en el RUV.[10] Sonreía, siempre sonríe. Aceptó todo, entendió el tema. Pero había que sentir su soledad. Su desconcierto.

---

10. Registro Único de Víctimas a cargo del Consejo de Reparaciones. Este a su vez dependiente del Ministerio de Justicia. Junto a la Comisión Multisectorial de Alto Nivel (CMAN), son las entidades encargadas de implementar las medidas de reparación individual y colectiva que el Estado ha definido para los afectados por la violencia. El Consejo de Reparaciones establece la lista de los que serán beneficiarios de estos servicios. Hasta el momento tienen más de 180 mil personas inscritas. Lamentablemente, pese a las cifras de ejecución, las reparaciones son en muchos sentidos un fracaso y una falta de respeto que se agrega a las víctimas y sus familias.

51

Las razones que entusiasman a algunos investigadores, por acabar con el victimocentrismo me parecen muy útiles. Hay que descentrar a la víctima, mostrar que los campesinos podían hacer política y la hacían a su modo desde largo tiempo atrás. Se recuerdan las anécdotas de Uchuraccay, la performance que hacían de "pobrecitos", de premodernos, y luego, un minuto después, terminada la reunión con los comisionados, pedirles a todos tomarse fotos de recuerdo.

Pero solo quiero llamar la atención sobre esto. Que el argumento de deconstrucción de la víctima está subordinado a otro tipo de necesidad. La de luchar contra explicaciones centralistas y racistas. Una agenda de investigación (y de política) como esta es bienvenida, pero ¿debe llevarse por delante, debe subordinar y desaparecer un problema de la guerra?

¿Rescatar al campesino de su subordinación en la narrativa de la historia debe costar el desaparecer a las víctimas?

52

La corriente contra el victimocentrismo es fuerte y parece haberse consolidado entre los que trabajan el tema de memoria. No sin razón desde luego. Las propias víctimas piden no ser tratadas solo como afectados, pues sienten que esto es como atribuirles un modo de discapacidad. Lo dicen, cada vez con más frecuencia. Quieren ser reconocidas también como luchadoras, como dirigentes, como personas que no se han paralizado en el llanto. No quieren ser vistas como dolientes marías.

Esta coincidencia entre investigadores y afectados es interesante, porque suelen no escucharse mutuamente. Y los investigadores encuentran más respaldo para su iconoclasia, su entusiasmo o cinismo (depende del investigador) para desbaratar el lenguaje construido desde el movimiento de derechos. Se ha dicho hace tan poco, en el Lugar de la Memoria, que de un testimonio solo puede surgir una víctima y que las comisiones de la verdad no pueden sino construir víctimas inocentes y casi por naturaleza limitan la complejidad de la violencia. Se dijo también que las personas testimoniantes tenían interés en presentarse ante la CVR como víctimas y no como "sujetos del esclarecimiento", que suponemos, es como deberían haberse entendido ellas mismas. Y que por lo tanto una CVR solo sirve para disminuir el nivel de mentiras posibles.[11]

Cuántas cosas más, interesantes, sugerentes, retadoras, se pueden seguir diciendo sobre todo este tema. Pero vale la pena estar atentos y ser críticos con nosotros mismos. ¿De un testimonio solo puede surgir una víctima? Y si así fuera, ¿qué tiene esto de malo? Pero además, ¿no es invertir un poco la

---

11. Parte de las reflexiones que hizo Ludwig Huber al presentar el libro *Las formas del recuerdo*, editado por Ponciano Del Pino y Carolina Yezer y que ya mencionamos. Por otro lado ¿de qué otra forma se espera que lleguen los afectados ante una comisión de la verdad? ¿Acaso como responsables ciudadanos que cumplen su rol de reconstruir la memoria histórica en bien de la comunidad? ¿Por qué pedirles que se presenten de una forma que no esperamos de nosotros, que seguramente, de tener un desaparecido en la familia, iríamos a hablar de él y de nuestro dolor?

lógica? ¿Acaso no existe primero la necesidad de ser escuchado, no existe primero el agravio? Con ello marcando tu vida, puedes hacer muchas cosas, como callar, o vengarte, o hablar para hacer una catarsis personal, o hablar como denuncia o hablar confundido, o todas estas cosas juntas y en momentos diferentes. El testimonio es solo un modo en que se expresa la experiencia y cuando se trata de una historia de horror, posiblemente estemos frente a una víctima. Una víctima real, que ha tenido la suerte de ser oída. No es solo un juego de palabras.

El testimonio no agota una experiencia. Subraya, si se quiere, un momento de dolor y agrega un componente a una identidad siempre fluida. Llamarle víctima u otra cosa, es un asunto de convenciones.

53

Un tiempo después de que mi padre fuera asesinado en la isla de El Frontón, quizá luego de un año, mientras ordenábamos nuestra ropa en los costalitos que nos servían como roperos, quizá porque hablábamos de él, para mi sorpresa, lloré. No supe entonces ni sé hoy si lloraba por él. Solo lloré por un momento, sin ruido, sin que mi pena fuera exactamente dirigida hacia su muerte o su ausencia. Mi madre, conmovida, me acompañó los breves segundos que duró mi debilidad. Luego me dijo que no debía llorar, que la mejor forma de hacerle honor era no abandonar los ideales por los que luchó. Pero en sus ojos también había lágrimas. No duró casi nada. Ella nos educó para no expresar nuestros sentimientos.

Sí, le dije moviendo la cabeza. Sin usar palabras. Y callados, seguimos acomodando la ropa un rato más.

Aún hoy no lloro a mi padre ni a mi madre, no los visito en fechas especiales ni en el cementerio de Nueva Esperanza donde ella fue enterrada, ni en el puerto del Callao o en la isla donde algo de él debe de quedar. Me he resistido a la autovictimización. O a que me traten con lástima. Además, siempre he sospechado que no habría mucha empatía hacia mi tipo de experiencia. Hijo de terroristas, por más que hayan sido mal matados, algo de malo tendrá.

¿Pero que yo no lo necesite quiere decir que no lo necesitan otros? ¿No hay otros en busca de un reconocimiento a su dolor, para que valga algo? ¿Es tan difícil abrirles un espacio en esta tipología de los que han sido devastados por la guerra?

54

La victimización es un problema de los victimizadores. Sobre todo de los que actúan como intermediarios entre los que han sufrido un daño y el mundo de lo público o lo intelectual, los que median para el acceso a derechos, prestigio o incluso consuelo.

La víctima, con o sin la participación de estos victimizadores, está allí, aunque no se la quiera ver o se la descarte del lenguaje. En algún lugar del mundo alguien se conduele de un deudo de una guerra, en secreto. Quizá tu vecino. Y quizá nunca lo sepas porque quizá calle toda su vida.

55

La victimización es entonces a veces una estrategia política para acceder a la justicia y otros bienes escasos. Los afectados por violaciones de los derechos humanos lo aprenden, lo adaptan, se apropian de estos instrumentos y lenguajes del derecho internacional y lo emplean para su beneficio. ¿Qué tiene de sorprendente esto? ¿Nos sorprende que se comporten como cualquiera de nosotros? ¿Nos sorprende que resalten sus heridas para obtener algo de atención? ¿Nos debe sorprender si sabemos que antes de ser víctimas ya eran excluidos?

Este tipo de estrategia tiene sentido, cumple funciones. Es razonable. Sin embargo, reconociendo este valor, también es imposible no preguntarse si en este uso táctico del sufrimiento que algunas localidades hacen, también no se pierde algo, algo del poder ético que tiene un reclamo sin más pretensiones que su sola justicia.

Pero no estamos para juzgar con tanta severidad a otros sin juzgarnos, por lo menos un poco, nosotros mismos.

56

Quisiera decir esto. En países como los nuestros, donde cuesta tanto tener un estatus de lo que sea, tener el de víctima puede ser ya algo, puede ser un paso hacia el de ciudadano.

Solo pido entonces pensar un poco en eso y lo delicado que puede ser ese pequeño escalón, mientras ejercemos nuestras críticas.

57

Recuerdo lo que sentí cuando una vieja dirigente de una organización de afectados me encontró en la morgue, en donde nos habían citado para entregarnos los que supuestamente eran los restos de mi padre, identificados. Fue un momento vulgar. Y una farsa. Pero fuimos a ver.

A la salida, ella me vio. Y se me acercó exaltada y nerviosa. Me abrazo y lloró. Me dijo Josecito, tantos años ayudándonos y tú tenías tu caso, calladito. La llevé más allacito y le invité un emoliente. Me sentía extraño. Al despedirnos insistió en consolarme. "Tanto tiempo y eras uno de nosotros".

En sus palabras yo notaba cierto fondo de alegría, del calor de sentirse acompañada. De tenerme más de su lado.

Pero me fui confundido. Esta revelación, que lo supieran algunos familiares de organizaciones de víctimas, me hacía sentir que quitaba valor a mis años de trabajo, que yo siempre consideré solidario y justo. Nunca como una prolongación de mis necesidades. Lo había hecho por solidaridad, porque creía en la justicia de sus luchas y me herían sus historias. Pero ¿y si quizá todo el tiempo no fue más que un modo de ayudarme a mí mismo?

Querida amiga, dónde estará. Cuando me abrazó y me incluyó entre los suyos, yo sentí: no, no soy igual. Yo no soy una víctima. Esto que me pasó, fue parte de otro proceso. Es un hecho brutal que no ha fundado mi identidad. Pero quizá, quizá, solo sentí este rechazo porque no estaba listo para rendirme. Como mi madre años antes en otro contexto. Para dejar de lado el orgullo.

VI. Los rendidos

¿Ando quizá? ¿Tengo, todavía, pies? Levanto los ojos del suelo y miro a mi alrededor. Me vuelvo y doy una vuelta entera sobre mí mismo; después otra y me detengo. Todo sigue igual que antes. Sólo que, el reservista Estanislao Katczinsky, ha muerto. Nada más.

Erich María Remarque

58

Soy hijo de miembros de Sendero Luminoso que murieron en la década de 1980 en Lima. Ellos fueron asesinados de manera extrajudicial. Nunca reclamé por ellos. Mi identidad y la de mi familia no se construyeron desde la carencia, el daño o la búsqueda de justicia o reparación. He vivido sí, largo tiempo buscando un lugar legítimo para escribir, para hablar y para actuar en el espacio público. Pero no ha sido ni es sencillo.

Me he preguntado largo tiempo, como otros, ¿puede la culpa heredarse, transformada en vergüenza por el origen y los antepasados? Si no soy una víctima legítima para la sociedad y el Estado ¿puedo reclamar para mí algo de consuelo? Más aún, ¿puedo atribuirme el derecho a perdonar a alguien?

Creo que perdonar es un don. Y que en este sentido, su facultad está restringida a ciertas personas y grupos que se enmarcan dentro de esta economía de la indulgencia. Para perdonar necesito primero ser una víctima. Y ser una víctima es simbólicamente algo positivo, un espacio de significación cargado de valoraciones positivas (aunque paradójicamente, se funde en un padecer).

Un hijo de terroristas muertos no tiene, en principio, como capital social y simbólico, estas cualidades positivas.

Hoy, que los estudios en el mundo buscan descentrar los análisis (y las políticas) desde la víctima, llamo la atención sobre la necesidad, en algunos casos, del rumbo inverso: un camino de aceptación y abandono para lograr ser una víctima. Entregarse a sus costos. Entregarse al desamparo. Presintiendo que solo desde allí es posible para algunos tener voz y una forma de pasado.

Creo que debo recuperar mi herencia sin mitificar a Sendero, tampoco humanizándolo, reconstruyendo su experiencia compleja, pero sin conceder una mentira a la presión de los poderes que han triunfado, que no siempre pueden resumirse como el triunfo de la Democracia. No es tan simple.

Entiendo que algunos se esfuercen en no pensar más en términos victimocéntricos. Yo planteo el camino inverso. Ser una víctima por primera vez, para poder tener la oportunidad de perdonar y, luego, rendirme. Dejar de serlo para entregarme completamente a la censura, la mirada y la compasión de los demás.

59

Escribió Dagerman, nuestra necesidad de consuelo es insaciable. Pienso en aquella mujer presa, del MRTA, que me describía con tanta intensidad Martha Dietrich. Está alterada, ha sufrido tortura, sus secuelas son increíbles, pero lucha, tan mal, por seguir adelante. ¿No merece consuelo? ¿Es que llena la satisfacción de alguien que siga allí, a punto de quebrarse en nombre de alguna justicia imperfecta?

Pienso en nuestros propios soldados, militares. No solo en los oficiales, sino en esa tropa que Mariano Aronés ha empezado a darnos a conocer.[1] Sí, mataron y murieron y ahora, abandonados por sus instituciones, sufren los efectos de haber dado la cara para combatir a Sendero. Desde luego merecen reparación, ¿pero solo eso? ¿Solo esa fórmula que al final es una política más, una técnica más? ¿No merecen ser acogidos, agradecidos?

Pienso en Fujimori y en mis queridos amigos abogados, en los familiares organizados, esenciales en las luchas contra la impunidad. Pero también pienso si no se exceden en su exigencia de pedido de "perdón o nada", en sus proclamas de "ni olvido ni perdón", en su crítica implacable sobre los simulacros (o intentos) de perdón que ha ensayado este hombre vil. Que no cubren las expectativas de un perdón auténtico. ¿Debemos esperar que lo haga? ¿Cuál es el umbral de ese perdón? Levi decía que no podría perdonar en general, a un colectivo

---

1.   Trabajo presentado en las sesiones del Grupo Memoria (Aronés 2012).

o una nación, o una noción como "los alemanes", pero que podría hacerlo con aquellas personas que se arrepintieran no con palabras, con aquellas que demostraran con hechos que ya no eran más los hombres que habían sido.

Él sabía que la justicia no es poca cosa y que es, más bien, una excepción en la vida, solo que nunca acabamos por reconocerlo porque escenificamos juntos el teatro de la comunidad y sus instituciones. Por eso el perdón no puede ser un juguete, un pretexto o un facilismo retórico instrumentalizado por los que quieren pasar las páginas. Para Levi, los que persisten y siguen haciendo daño, seguirían estando en el lado de sus enemigos y se tendría que seguir luchando contra ellos. Pero ¿esto no nos ata a la voluntad de los injustos? ¿Debemos sacrificar nuestro don de perdonar por la terquedad de los que insisten en el odio?

60

Sentí por primera vez esto cuando, en el lugar donde trabajaba entonces, se ganó un caso muy importante para el país ante el sistema interamericano de justicia. La conversación con el líder de los familiares no amainaba. No quería valorar lo obtenido. Quería destruir a todos, a los que antes lo humillaron en la comisión de indultos, a los que le negaron apoyo desde las ONG, a los que lo estigmatizaron. Pero sobre todo me alejó de él su deseo insaciable de desenmascarar a otras víctimas del caso, porque sospechaba de ellas como posibles informantes de los agentes estatales, o como oportunistas. Su justicia me parecía extremista. Una justicia sin piedad. Porque me parecía que era innecesario, que esas personas habían sido superadas por fuerzas sobre las que no tenían control. Y ya estaban sufriendo mucho, largos años, y que también eran víctimas como él. Y que si fueran ciertas sus sospechas, su calvario estaba agravado por la culpa, por la secuela de la traición. Que no toda la justicia es penal.

He sentido otra veces lo mismo, en diferentes momentos, ante la actitud tan beligerante de amigos y compañeros de ruta, frente a los rivales políticos. A veces los he visto ganados por un impulso por la confrontación abierta, por un arrebato que marca una línea en la arena que divide a los justos de los demonios. Visiones maniqueas del Estado y sus funcionarios, donde a estos solo se los puede observar como portadores de la trampa. Y donde a veces pareciera que lo que se desea es que todo termine en desgracia y muertos, para confirmar las hipótesis de un Estado represor.

Sobre todo me llama a pesar el trato dedicado a los policías, como bultos a los cuales está bien patear, insultar, denigrar; "tombos" listos para ser usados como propaganda, cómic, o ingenioso arte de protesta urbana. He trabajado un poco con policías en mi vida y sé que no son santos. Pero sé también que saben tener miedo y sí quisieran —los que conocí— que no se los coloque siempre como carne de cañón para herir y ser heridos. Pero a lo que me refiero es a que no importa cómo son en la vida real los "tombos". Lo importante es que son útiles para consolidar rótulos, para construir enemigos inhumanos.

Es cierto que los políticos y líderes fujimoristas o del MOVADEF no son solo rivales políticos, sino que pueden ser más precisamente enemigos de la democracia, y por ello se justifica un tratamiento más duro y una vigilancia más atenta y fuerte. Pero incluso acá, cabe conocer más, hacer un esfuerzo serio y honesto por comprender, y no solo por patologizar y menospreciar a quienes o participan de estas opciones o a quienes por muy diferentes razones, las apoyan o por lo menos, no las rechazan de plano. A quienes por ejemplo, no son estos líderes. Y no son pocos.

Quizá les pase a otros. No lo sé. Pero eslóganes como "No olvidamos, no perdonamos". Esos rótulos tan seguros de sí, de lo que es lo correcto, nunca me han gustado, no me motivan. Tampoco otros como "El olvido está lleno de memoria", por su vacío ingenuo, su apelación a la simple idea de que el pasado nos cura o que la memoria tiene muchos atributos. U otros eslóganes, heredados de décadas pasadas como "la sangre del pueblo jamás será olvidada".

Jamás será olvidada. Tanta sangre. Viviendo a nuestro lado. Recuperada retóricamente en cada caminata por Lima. Invocando ¿qué? ¿Que nuestra comunidad se construye sobre un charco de sangre y que nosotros flotamos sobre él?

No es que no esté de acuerdo en que no será olvidada. ¿Cómo se olvidan en un par de generaciones (o más, como nos enseñan Europa o China o Corea), decenas de miles de crímenes? Ya hemos visto que no se olvidan. ¿Pero que eso sea cierto quiere decir que se transforme automáticamente en nuestro programa de vida o activismo? No lo sé.

Y sobre eso, sobre tanta basura y sangre, ¿cómo hacen para flotar sobre ella tantos amigos demócratas? ¿Desde qué lugar limpio piden no olvidar, no perdonar, no reconciliar?

¿Cómo hago yo, por ejemplo, para no especular sobre otros con más méritos? Acompaño las actividades convocadas por los familiares, porque sé que tienen razón, porque ante la impunidad pedir justicia es elemental. Pero me entristece el mensaje que compartimos. El de fondo. El que no se refiere al justo reclamo por el agravio y la justa persecución y sanción de los culpables. Me desconcierta el mensaje que tiene que ver con nuestra cultura política, tan feroz. Y por eso acompaño callado.

¿Hay algo así como un exceso de justicia? ¿Es como amar mucho pero al revés? Esa rabia con que se busca la justicia sin ninguna consideración, es algo que me aleja de mis amigos estos días. Una especie de lujuria de justicia, que hace que esta pierda su potencial de rehacer, de recrear. Y se concentra en su poder para reprobar, sancionar, prohibir, reprimir. No lo sé.

Las mofas y el escarnio hacia la salud de Fujimori, las bromas sobre su cáncer, sobre su cuerpo, el escrutinio de su intimidad, su lengua con heridas convertida en burla, en eslogan y en cómics, la humillación de su familia, me apenan.

Es obvio que los fujimoris no son dignos de crédito, que todo su cuadro médico puede ser armado. Es una tradición de este grupo recurrir a la mentira sistemática. Su grupo político y sus aliados en los medios de comunicación se comportan con cinismo y sin escrúpulos. Es válido e imperioso resistir su acometida.

Pinochet y su comedia, su burla tan hiriente al regresar de Londres a Santiago está fresca en el recuerdo de muchos. Fujimori no debería ser indultado si no lo merece de acuerdo con nuestras normas. No debería tener un trato diferente al de otros peruanos en situación similar, que se consumen en las horribles cárceles que a diario administra el Ministerio de Justicia. Si cabe, todos deberían recibir la misma cuidadosa evaluación. Ese no es mi punto.

Es solo una duda personal: no quisiera construir mi militancia en los derechos humanos bajo imágenes de crueldad o ligereza. No me reconforta la desgracia de nadie, ni de un culpable atroz. No me motiva salir a marchar exigiendo que alguien permanezca preso si está enfermo. Me cuesta compartir la satisfacción de los que están tan seguros de su superioridad moral.

Sé, la justicia no se compra en la esquina. Y hay que cuidarla, más en un país donde hay tan poca. Alberto Fujimori debe pagar sus culpas, y ese lugar es la prisión. ¿Pero nosotros debemos pagar sus culpas también, haciendo de nuestro derecho, una carga, un lenguaje sin compasión?

61

Pienso en los marinos que mataron a mi padre. Muy temprano, Sendero consiguió datos exactos no solo de los oficiales de la Marina que dirigieron el operativo sino de los que casi con sus propias manos lo torturaron y le dieron muerte. Y esa información nos la transmitieron con detalle y relativamente pronto. "Ya está, cumplimos", fue el mensaje.

Pienso que era no solo un modo de demostrar la responsabilidad del partido por sus cuadros, sino también un medio de sembrarnos la espina del odio y la necesidad de la venganza, otorgándonos servido, el blanco identificado.

Lo mismo ocurrió cuando mataron a mi madre. Primero un par de agentes de Seguridad del Estado me invitaron a pasear por Lima en un auto y conversaron conmigo sobre cómo me darían seguimiento en la universidad y que tuviera cuidado con lo que hacía. Una amenaza que se agradece en tanto no acabó en muerte. Luego, un enviado de Sendero se reunió conmigo varias veces en la facultad de Ciencias Sociales, invitándome a tomar el puesto de mis padres, héroes de la revolución, y a vengarlos. Me dijo que tenían identificados a los tres tipos que la mataron.

Me dio asco este señor, con su estrategia de manipulación tan barata. Sin la consideración de darme un par de semanas para dolerme de mi pérdida. Lo mandé a paseo. Y lo amenacé a su vez. Le dije que tenía mis propios canales dentro del partido, que conocía mucha gente y que haría mis averiguaciones porque no sabía exactamente quién había matado a mi madre. Se enfureció. Me prohibió tener más canales con el partido que él. Pero me dejaron en paz.

Nunca pensé en venganzas. Si la justicia debe perseguir a los culpables, adelante. Porque es digno, aún para los culpables.

Pero si de algo sirve una voz sin poder alguno como la mía, una voz ilegítima, yo prefiero mantenerlos a esos hombres que quizá fueran los que mataron a mis padres en el anonimato. Quizá los años los hayan llevado a la reflexión, pero eso no se puede saber y no debemos esperarlo. Esa no puede ser la causa de guardarlos, es insuficiente. Pienso que no tengo clara esta razón, pero que por ahora quiero que sus hijos no hereden ningún estigma. Darles la oportunidad a esos hombres de que hereden a sus hijos su mejor versión.

62

Pienso en Alan García, que sabemos fue el responsable directo junto a sus líderes políticos, de la muerte de los presos en El Frontón, Lurigancho y Santa Bárbara. No necesitamos sentencias para saber eso. La verdad no se materializa en una hoja de papel. Pienso también en las decisiones negligentes y despectivas que tomó en su segundo gobierno, que llevaron a la muerte de trabajadores, policías y gente que protestaba por un poco de ciudadanía.

¿Debo odiarlo como lo odiaba mi abuela, como lo odiaba mi madre? Prefiero perdonarlo también. Que se defienda donde pueda y como pueda. Si la justicia llega a comprobarle alguna responsabilidad, pues que la asuma. Pero siento que también fue superado por sus miedos y limitaciones, que esa guerra fue demasiado para él, que perdió el alma en este trance. Y cuando un hombre pierde su alma, todos de algún modo la perdemos con él. Y ante ese daño, aunque quisiera, no podría desearle otro mal que sea peor. Y entonces quiero condolerme, pero cómo.

Los enemigos. Los culpables. Mis padres lo fueron. También lo fueron estos políticos. Los soldados que mataron senderistas y los senderistas que mataron policías y soldados. Los niños colocados en situación de matar y violar. Los torturadores, jóvenes pobres que tuvieron que quemar cientos de cadáveres y enterrarlos atras de cuarteles para que nadie los pueda encontrar más. Los mandos senderistas que por escarmiento, por pedagogía y para ahorrar munición mataron con piedras, hueso tras hueso roto, a sus enemigos en campos y barrios.

¿Dónde pueden los enemigos hallar un reflejo? ¿Es en el conocimiento mutuo de su suerte desgraciada? ¿En el mínimo reconocimiento de que también el otro ha padecido? ¿En lo absurdo de un orden que nos coloca como las sombras asesinas de cuerpos que son nuestro reflejo? Escribió Wilfred Owen en 1918, poco antes de morir, este poema lúcido y quizá inacabado, donde reconoce a su enemigo en la trinchera que es el infierno:

"(...) Entonces, cuando mucha sangre haya atascado las ruedas de
                                                   los carros
yo me levantaré a lavarla en los manantiales gratos.
Incluso con verdades que estaban demasiado hondas para el engaño
volcaría mi espíritu sin resguardo
pero no por las llagas ni la letrina de la guerra.
Han sangrado las frentes de los hombres donde no había desgarro.
Soy el enemigo, amigo, que has matado.
Te conocí en esta oscuridad porque así ayer mostrabas
el ceño cuando, a través de mí, has punzado y matado.
Le repliqué, pero mis manos estaban reacias y frías."
"Ahora durmamos..."

Mi enemigo, que sumergido en mí, confundido en mí, duerme porque en la práctica, no es sino otra forma de mi ser.

63

Pienso en algunos de MOVADEF, que salieron de la cárcel y tienen que inventar su vida no desde cero, sino desde la negación de su humanidad. Su necesidad de redes, de soportes, de acogida, es como la de cualquier preso en tantas épocas. Pero quizá mayor. En algunos casos hasta sus familias han renunciado a ellos. La esperanza es peligrosa, le decía Tim Robbins a Morgan Freeman cuando este soñaba con la libertad.[2]. Pero también lo es la desesperanza, ver que no hay cómo algo pueda ser diferente.

Por eso tienen sentidos estas organizaciones relacionadas con los expresos de Sendero. No es solo MOVADEF, son varias. Porque se requieren ojos que no acusen, se necesita un amparo para descansar del descanso del encierro, y se necesitan cosas sencillas como trabajo, referencias, vida cotidiana.

No todos optan por unirse a estas redes y no todos las usan del mismo modo. Para muchos, tienen este valor de soporte. Para otros, quizá no los más, no lo sé, tiene que ver con cosas más duras. Es el aferrarse a lo que da sentido a sus vidas. Lo que otorga sentido a sus pasados sacrificados. ¿O vivieron en vano? No son José Marías cuestionados por sabios, son varones y mujeres carenciadas, cuestionados por ellos mismos y por el presente.[3]

---

2. En la notable *Sueños de fuga* de Frank Darabont, de 1994.
3. Referencia a la célebre respuesta de José María Arguedas durante la "Mesa Redonda sobre 'Todas las Sangres'", en el Instituto de Estudios Peruanos, en 1965, donde luego de ser duramente cuestionado por los jóvenes científicos sociales, se defiende con vigor recalcando que su vida y su com-

¿Quiénes han sido los más duros en las cárceles, y lo son, por ejemplo, también fuera de ellas? Algunos de estos, marciales y disciplinados, son los que enfrentados a "la prueba", no la pasaron. Los que cedieron a la tortura. Los que hablaron y mencionaron a sus compañeros. ¿Qué significó esto? Muertes en cadena, torturas en cadena, por haber hablado. La reprobación hacia sí mismos no los abandona. Esta falla, llevó a algunos como respuesta, a ser lo más férreos vigilantes de la línea más rígida de su partido en las cárceles. Y ya libres, se ven compelidos a seguir allí, en esa rol.

Pagando. ¿Pueden escapar a este destino? ¿Destinos tales no deben movernos a compasión?

64

Levinas (2011) escribía sobre el perdón y la entrega, quizá desesperado. Siento como él que no hay otra forma de encarar este nudo. Mi perdón posiblemente no valga nada, porque mi posición no es de poder. No se me ha otorgado el don para reivindicar a nadie, soy por extensión parte de los que o son culpables o deben quedarse callados por respeto o sentido de sobrevivencia.

Perdonar es entregarse totalmente a los demás, ponerse en sus manos. No se trata de esperar un acto reciproco o un efecto

---

prensión de la vida de los campesinos tiene un valor en sí mismo, que los intelectuales no saben apreciar: "¿Cómo que no es un testimonio, si yo lo he visto, lo he vivido? Si esto no es un testimonio, yo no he vivido, o he vivido en vano" (IEP 1965).

político. Es dejarse en ti y tener la voluntad a su vez de acoger, consolar, dejarnos fascinar por los demás, o dejarnos morir en los demás. No puede ser un acto del orgullo ni un regalo. Es un acto de humildad.

65

Por eso aunque es un don, no debería serlo. Lo es porque ahora perdonar forma parte del prestigio, un sistema pensado en el equilibrio y la reciprocidad. Y es casi un regalo, una gracia o una mala palabra, cuando es desvirtuada por gente que busca impunidad.

Y más que un don, quizá deba ser entendido como una pérdida dolorosa, un difícil desprendimiento que es a su vez, un completarse en los demás. Pero no encuentro las palabras para decir esto.[4]

4.　Algo quizá como lo que proponía Ricoeur sobre el perdón difícil. Él piensa que pensar en el perdón es al mismo tiempo plantearse inmediatamente lo imperdonable, como un modo de evitar el facilismo de los que quieren un perdón evasivo y recalcar que solo puede hacerlo la víctima. El perdón difícil y activo no trata de borrar un agravio ni desaparecer los hechos que son imposibles de eliminar de la historia, sino reconfigurar el sentido presente y futuro de esa deuda aceptando, desde una de las partes que será siempre impagada y desde la otra que uno será siempre un deudor incapaz de honrar la deuda. Este pacto en el fracaso, pero al mismo tiempo en el olvido de las consecuencias de los sentidos del agravio, es lo más cercano al perdón mutuo (Ricoeur 2003). Siento que esto aún es demasiado un pacto de reciprocidad. Y que quizá un camino de menor pretensión pueda ser no esperar nada, ni siquiera un pacto de fracaso. Que hay que someterse como el Judas de Borges al oprobio y a la reprobación para no merecer nada.

66

Jordi Ibáñez (2009) usa un cuento sobre un militar franquista que dice "soy un rendido", aunque ha vencido en batalla. Esta acción paradójica, esta voluntad de querer compartir la suerte de los vencidos, me ayudó a pensar en esto, a pensarlo así, a trompicones.

En este caso formo parte de esa comunidad amorfa que sería la de los vencidos. ¿Qué tendría que rendir?

Toda posibilidad de usar mi historia para justificar una revancha. Eso sería algo, Pero no es eso, porque nunca sentí nada parecido. Sería una respuesta retórica.

Quizá esta necesidad de rendirme, de entregarme, es una forma del perdón. Nadie tiene que pedirlo, ni aun que desearlo. Ni siquiera debo querer otorgarlo. Cuando recuerdo o recreo los últimos momentos de mis padres, lo último que quiero es perdonar a quienes los mataron tan mal. Cuando recuerdo las historias de tantas víctimas que conocí en mis viajes por el país, tampoco me nace la necesidad de perdonar. Todo lo contrario, me anima la misma indignación de tantos activistas y de organizaciones de afectados.

Por eso puede tener sentido. Porque no quiero, porque no debo, porque no me lo han pedido, porque será rechazado. Porque imagino torpe e ingenuamente, que eso puede ayudar a la paz.[5]

---

5. Pese a recordar la fuerte advertencia de Derrida: "cada vez que el perdón está al servicio de una finalidad, aunque ésta sea noble y espiritual (liberación o redención, reconciliación, salvación), cada vez que tiende

Pero sé, mi perdón no vale nada. No ayudará a la paz. Ni mil perdones ayudarían a que la paz no se agotara en la sangre de miles de personas que estallan a diario como si sus cuerpos se hubieran cansado de contenerlos. No hay paz en el perdón. Solo la prolongación de una entrega. Y una fe en los demás que no será satisfecha.

67

Mi hermano está limpiando nuestro cuarto de Villa María. La última vez que nos fuimos de allí fue en 1998, hace quince años.

Algunas veces, sobre todo en temporadas difíciles, he renegado de ese cuarto umbroso, única herencia que nos dejaron nuestros padres. Es un sitio abandonado, en un lugar remoto, que ni se puede vender. Una herencia inútil porque tampoco viviré allí nunca más.

Mis padres tan hábiles, tan vitales. Ellos y sus ideas de justicia, su deseo de igualdad y solidaridad urgente, con todo su carisma y sus muchas cualidades de gente de nuevo tipo. Y no poder dejarnos nada más que este cuartucho. Su idea de

---

a restablecer una normalidad (social, nacional, política, psicológica) mediante un trabajo de duelo, mediante alguna terapia o ecología de la memoria, entonces el "perdón" no es puro, ni lo es su concepto. El perdón no es, no *debería* ser, ni normal, ni normativo, ni normalizante. *Debería* permanecer excepcional y extraordinario, sometido a la prueba de lo imposible: como si interrumpiese el curso ordinario de la temporalidad histórica. Entrevista entre Jacques Derrida y Michel Wieviorka publicada con este título en el número 9 de *Monde des débats* (diciembre de 1999).

solidaridad no llegaba hasta ayudarnos a nosotros, sus hijos. Su horizonte de lo que se puede sacrificar, sí.

Es imposible no pensar así a veces. Es imposible no ceder a la tentación cómoda de echarles la culpa de cada desgracia o fracaso que la vida me fue arrimando. A veces, sobre todo en días así, de limpieza de un cuarto, se hace difícil quererlos. Es como recuperar a un moribundo. Exige que curemos el cuerpo con delicadeza, con silencio, con paciencia. Y que olvidemos. Que olvidemos mucho.

No sé si llamarle casa al cuartito porque sobre todo funcionó como un refugio, un lugar seguro al que regresamos cada vez que una emergencia nos obligó a huir. Ahora parece tan ingenuo todo. Pero hace un par de décadas escondernos allí, al pie de las lomas de Atocongo, nos creaba la sensación de que estábamos más allá de cualquier peligro, fuera del mapa de Lima, fuera de alcance.

Mis padres levantaron ese cuarto cuando eran jóvenes, casi jugando. Nunca pensaron vivir allí. Igual que yo ahora. Su casa estaba en algún lugar del futuro, en una utopía romántica que sabían que no llegarían a ver, pero que esperaban nos tocara disfrutarla, y a sus nietos y a los nietos de todos.

Pienso que mi hermano va a demorar mucho limpiando ese cuarto. Corriendo hacia la playa, como hago todos los veranos, mirando el mar, hace tiempo que supe que la casa que me dejaron mis padres, la muy maldita, no me abandonaría jamás.

Porque es la casa que me habita.

Colofón

Expresiones de lo íntimo y condiciones de lo público. Una lectura de *Los rendidos*

Rubén Merino Obregón[1]

El modo más sencillo de lidiar con asuntos polémicos de la vida pública es ajustarse a lo que repiten los discursos hegemónicos. Estos parecen delimitar claramente hasta dónde alcanzan la luz de lo admisible y la sombra de lo condenable. Encontramos en esos marcos las adecuadas frases a enunciar, los hábitos más respetados y hasta las compañías más convenientes. Todos, en considerable medida, nos apropiamos de tales criterios, a los que necesitamos para construir espacios y objetivos compartidos. En tal proceso, sin embargo, lidiamos con el constante peligro de imponer prejuicios por sobre identidades o eventos que exigen ser comprendidos más allá de la hegemonía. La pretensión por definir los límites de lo públicamente autorizado puede convertirse en un vehículo para la falta de reconocimiento y la estigmatización, en tanto que dimensiones complejas de los sujetos quedan invisibilizadas. En ese sentido, hacemos del estereotipo parte del sentido común

---

1. Licenciado en filosofía por la PUCP.

y anulamos las posibilidades de darle una mirada crítica a la realidad social que nos rodea y a nuestro propio papel en ella.

Pero los marcos de la hegemonía nunca se construyen en perfecta articulación. Las voces e identidades excluidas no se reducen a una dependencia absoluta a las estructuras; quedan siempre los rastros de la agencia espontánea y las huellas de lo que desencaja. Lo invisibilizado puede reaparecer y desacomodar las categorías construidas, exigir nuevos criterios de significación e invitar a otros a identificarse con valores culturales que reconozcan la presencia de la diferencia. Esta es, a mi juicio, una de las claves a partir de la que podemos comenzar a comprender la importancia de *Los rendidos*, de José Carlos Agüero. Estos textos (el autor se refiere a ellos en plural) nos confrontan con la manifestación de una voz que habla *diferente* sobre el conflicto armado interno, sus actores y sus consecuencias. En ellos es posible abrir nuevas preguntas y rutas de reflexión que ponen entre paréntesis muchas de las valoraciones que se han hecho incuestionables en las memorias que nos hemos formado acerca de nuestra violenta historia reciente. A través de una latente sinceridad que es difícil de encontrar en el contexto de la academia, Agüero nos obliga a despertar de la tranquilidad del sentido común y a ir más allá de los estereotipos.

Una de las más claras muestras de tal sinceridad se encuentra en la dificultad para identificar en los textos a un autor bien definido, a *un* sujeto con *una* postura concreta. Más bien, en ellos se expresan diversas voces, diversas miradas que están en constante tensión, que discuten entre sí y se niegan a lograr acuerdos concluyentes. En efecto, ¿qué tipo de autor nos está hablando en *Los rendidos*?, ¿se trata del académico, del historiador, del poeta o del activista por los derechos humanos?, ¿o se trata de un testimonio, o de una narración? Evidentemente, no hay respuestas definitivas a estas preguntas, lo que nos habla de textos que tienen detrás a un sujeto fragmentado que está en constante búsqueda de sí mismo a través de sus palabras. Agüero salta entre personas, eventos y momentos sin exigirse más que la expresión sincera de una fragilidad que es capaz de no depender de muchas de las exigencias hechas por la convención académica. Ello, antes que un producto de la arbitrariedad o la impericia, es aquí una virtud inusual.

Ahora bien, tales dinámicas van de la mano con ciertos requisitos que los textos se hacen a sí mismos. Uno de los motivos de su fragmentación es que se encuentran atravesados por dos constantes necesidades: de un lado, la necesidad por superar los estereotipos construidos sobre el conflicto armado interno y sus actores; de otro lado, la necesidad por mantener intacto el juicio moral. Es decir, si bien se busca acercarse a figuras polémicas como la del senderista sin caer en discursos maniqueos, a la vez hay un esfuerzo por no quitarse de encima la responsabilidad moral y política de condenar las acciones e ideologías que se ligaron directamente con la terrible violencia en la guerra. No hay aquí, entonces, ni simple trasgresión improductiva de lo hegemónico ni simple consentimiento seguro con las opiniones bien reputadas. Agüero prefiere mantenerse en la tensión entre dos demandas que para muchos resultan contradictorias, pero que en este caso invitan a descubrir nuevos modos mirar al pasado y sus vivas huellas en el presente.

Una de tales nuevas miradas tiene que ver con los intentos de ir más allá del estereotipo del senderista como sujeto necesariamente poseído por una maldad irracional e incomprensible. Agüero apuesta por acercarse a la *singularidad* del senderista; es decir, pensar en los sujetos concretos que formaron parte de la organización, sujetos con íntimas y diversas motivaciones, con complejas relaciones familiares, amicales e intracomunales, con capacidad de agencia y de interpretación o cuestionamiento de la ideología. A ellos nos pide acercarnos con *compasión*, no para tomar partido por el bien o el mal, no para perdonar ni justificar, tampoco para simplemente comprender fríamente; más bien, para acercase con la suficiente sinceridad como para *ponerse en el lugar del otro* sin estar cargado por condenas o alabanzas previas. Acercarse con *compasión* significa, aquí, hacerlo permitiendo que el otro aparezca, que se revele en su identidad; acercarse sin la protección que nos dan las excusas, los estereotipos, la necesidad de sacar lecciones, las posiciones autorizadas del académico objetivo, del ciudadano de buena conciencia, del político fiscalizador, del humanista de buen prestigio.

Agüero no nos pide realizar este ejercicio a través de consignas o pasos calculados. Él lo hace en su constante empeño por plantear preguntas, por dudar incluso de la propia palabra. Pero a la vez, lo hace cuestionando los lenguajes que desde la vida pública nos condicionan a organizar las identidades y las relaciones de acuerdo con lo hegemónico. No basta con tomar la decisión *personal* de mirar sin prejuicios a quien tiene la etiqueta de la condena, porque estas etiquetas no se construyen en la intimidad del individuo, sino en los *discursos*

compartidos públicamente por una pluralidad de sujetos. Ir más
allá del estereotipo, entonces, no es una tarea que le incumba
solo a quien se decida a acercarse con sinceridad; la tarea tiene
que ver con los significados que se reproducen en las relaciones intersubjetivas.

1. A la luz pública

Las nociones de *culpa* y de *estigma* nos pueden ayudar a comprender la importancia de prestarle atención a las condiciones
de la vida pública. Agüero considera cómo su vínculo con la
identidad senderista genera una condena frente a los demás,
una estigmatización que va de la mano con el sentimiento de
culpa. En el mismo sentido en que Freud había dicho que
quien entra en contacto con la violación del tabú "se vuelve
tabú él mismo y nadie tiene permitido entrar en contacto con
él" (2000: 36), quien es hijo de militantes senderistas, por más
que no sea él un militante, posee la marca de la condena y
asume una culpa ante esa identidad heredada. Agüero es ple-
namente consciente de esto, y aunque sabe que "Los hijos no
pueden heredar la culpa de los padres", sabe también que ante
la mirada de los otros el estigma permanece adherido a él. A
primera vista, tenemos aquí una especie de culpa angustiante
que surge en el individuo, quien se sanciona por su relación
íntima con las figuras de la violencia. Aparece, por tanto, la
tentación de adentrarnos en su psicología para desentrañar
los nudos que conforman su personalidad frustrada, con el fin
de encaminar la superación del trauma personal. Tomar esta
ruta, sin embargo, sería un grosero error. Debemos evitar el

peligro de reducir estos asuntos a la vivencia íntima. Cuando Agüero nos habla del estigma, de la culpa y de su dificultad por no encontrar una voz que lo posicione legítima y sinceramente frente a los demás, se está refiriendo a una experiencia que tiene que ver con la vida intersubjetiva, con la responsabilidad que todos tenemos por las condiciones bajo las cuales ciertas identidades son condenadas o consentidas en el espacio público.

Acudamos por un instante, para ahondar en este tema, a la relación que plantea Hannah Arendt entre la identidad personal y la vida pública. Para ella, los individuos *revelan quiénes son* en sus acciones y en sus palabras, actividades que se desarrollan siempre en pluralidad (Arendt 2011: 205-215). Es allí, en la vida que compartimos con otras personas, que somos reconocidos como capaces de acción espontánea y expresión discursiva singular. Si estas capacidades son limitadas por los marcos estereotípicos convencionales, si la mirada del otro —por más bien intencionada que sea— proyecta prejuicios y exige implícitamente cierto tipo de acción y palabra (es decir, cierto tipo de identidad), el sujeto queda impedido en sus posibilidades de desarrollarse libremente frente a los demás. Literalmente, dice Arendt, el individuo *no aparece* en la esfera pública: se comporta como los otros, repite las frases clichés acostumbradas, pero no se deja ver en tanto que sujeto singular ni puede hacer oír su voz como expresión de su identidad. Por ello, cuando Agüero considera que el estigma y la culpa van de la mano con una vergüenza que participa en "cada cosa que haces" y no da lugar para "decir la verdad", podríamos comprender que se refiere a cómo los discursos hegemónicos lo condicionan en su capacidad de aparecer libre y sinceramente en los espacios públicos.

En la misma línea podemos comprender la afirmación que hace Agüero de sí mismo como *víctima*: "No importa si no me siento víctima y si nunca me comporté como una. El hecho es que si este mundo de normas y moral tiene algo de valor, lo soy". Esta declaración —una de las más sorprendentes en los textos— va de la mano con la crítica que se hace a aquellas posturas, cada vez más frecuentes, que prefieren abandonar la categoría de víctima por considerarla más perjudicial que útil en los análisis de la memoria y la violencia. Para Agüero, sin embargo, allí existe el peligro de olvidar la muy concreta desventaja en la que se encuentran ciertas personas como producto de injusticias sufridas. Tal olvido llevaría a que no se reconozca el dolor del otro. Por eso, cuando él afirma de sí mismo que es una víctima, no está apelando a la piedad del lector, sino que está reclamando que se le reconozca más allá del estigma condenatorio: es decir, que a él le sea posible identificarse como alguien que ha sufrido pérdidas. ¿No es una víctima, acaso, quien pierde a sus padres demasiado temprano y se ve obligado a no manifestar el duelo? ¿Por qué no existe un reconocimiento público de su sufrimiento?

Judith Butler ha escrito sobre esto último y podría ayudarnos a comprender mejor la cuestión. Según sostiene, la experiencia del duelo tiene una dimensión política que revela algunos de los lazos fundamentales dentro de una comunidad. Y ello porque no todas las muertes son lloradas y no todos los duelos son respetados. Hay regulaciones culturales que asumimos —implícita y explícitamente— y condicionan qué penas pueden ser sentidas o confesadas. Ciertas muertes son identificadas como muertes penosas, mientras que otras simplemente no aparecen como pérdidas. Entonces, el sufrimiento de quienes le sobreviven a los muertos que no dejan huella no es reconocido como legítimo. En tal sentido, afirma Agüero que "los hijos de los terroristas no tienen derecho a grandes manifestaciones de duelo. Todo, incluso la muerte, es parte de un secreto transparente y vulgar". Esta es una "distribución diferencial del duelo" (Butler 2006: 64) en la que no todos tienen el derecho de ser víctimas, porque a los ojos públicos no han perdido nada y no tienen motivos válidos para sufrir.

De esta imposibilidad de aparecer públicamente como víctima se desprende el desarrollo de algunas ideas acerca del perdón. En principio, Agüero relata momentos espontáneos en los que ha pedido perdón por las acciones de su padre. Pareciera asumir, entonces, una responsabilidad ajena, lo que otra vez nos tienta a sumergirnos en la conciencia de la persona confundida. Sin embargo, los textos presentan una situación mucho más compleja. Agüero no solo habla de *pedir* perdón, también se refiere a sí mismo como alguien que podría *otorgar* el perdón: "Si no soy una víctima *legítima* para la sociedad y el Estado, ¿puedo reclamar para mí algo de consuelo? Más aún, ¿puedo atribuirme *el derecho a perdonar a alguien*?".[2] Nuevamente, la reflexión sobre un asunto aparentemente exclusivo de la intimidad lleva a consideraciones sobre las representaciones compartidas en la cultura. Al relacionar el tema del perdón con el de la víctima, Agüero alude a aquello

---

2.   Las cursivas son mías.

que aparece públicamente como autorizado o condenado. Por ello nos habla de la *legitimidad* que no posee en tanto que no es reconocido como alguien que ha sufrido un daño. Eso le impide ingresar activamente en las dinámicas del perdón. En efecto, los discursos hegemónicos que se despliegan como sentido común le hablarían más o menos de esta forma: "al padre senderista no se lo llora, se lo condena; ¿por qué se tendría, entonces, que pedir perdón? Hay que olvidar, no identificarse. Y si no se ha sufrido ninguna pérdida, si la muerte de un senderista no supone ningún daño, ¿por qué y a quién se tendría que otorgar el perdón?".

Intentemos reforzar esta idea (que el perdón es una experiencia personal posibilitada por el reconocimiento intersubjetivo) recordando la narración que hace Agüero de su encuentro con "Juan", hombre de una comunidad a la que llegó la CVR y que pedía ayuda para lograr la reconciliación con otra comunidad de la que se habían distanciado por eventos ocurridos en la guerra. Juan se dirigía a un Agüero que era representante de la Comisión y le solicitaba que interceda para que "los perdonen". La situación me parece representativa por las diferentes variantes sobre las que permite reflexionar. Por una parte, el pedido de Juan es una confidencia, no solo porque dice cosas que son difíciles de confesar, sino porque la enemistad con la otra comunidad no afecta solo las relaciones formales, también —y sobre todo— los afecta en sus vínculos más personales. Juan se refiere a la necesidad del reencuentro "con sus hermanos". En este sentido, el perdón se entiende como experiencia íntima, como aproximación entre sujetos particulares que intentan construir una nueva relación. Por

otro lado, sin embargo, el que se acuda a Agüero puede leerse
como una solicitud a aquel en quien se identifica la autoridad
para otorgar, *públicamente*, las condiciones necesarias para que
se reconozca el derecho a entrar en las dinámicas del perdón.
Por supuesto, lo paradójico se encuentra en que Agüero, a pesar de que es un representante de *la verdad y la reconciliación*,
no se siente personalmente autorizado por los discursos públicos para pedir ni dar perdón. Mientras Juan lo observa como
el representante que reorganiza las condiciones intersubjetivas para que sea posible perdonar en el plano íntimo, Agüero
no puede apropiarse de una voz pública autorizada, no con
sinceridad, en tanto que no se siente reconocido como alguien
capaz de ejercer el perdón.

Es desde esta relación con lo público que hay que considerar en qué sentido Agüero entiende al perdón como un *don* y
como un *derecho*. En el primero de los casos, nos habla de una
gracia en la que el sujeto se hace vulnerable y se desprende de
su posición privilegiada para entregarse cara a cara al otro.
Pero esta capacidad para el desprendimiento, nos dice, no está
validada para todos. Más bien, depende de una "economía de
la indulgencia" en la que algunas identidades se encuentran
reconocidas como capaces de ser perdonadas o de otorgar el
perdón. Ingresar activamente en esas dinámicas es un *derecho*
en el que se demanda superar los estereotipos maniqueos que
simplifican y restringen las identidades.

Así entonces, el perdón del que nos habla Agüero no es
una práctica pasiva, sino una acción en la que se sostienen valores morales y políticos concretos. Podríamos considerar, en
tal sentido, que si Agüero pide perdón es también porque sabe

que no quiere vivir en una comunidad en donde la práctica subversiva se ejerce por encima de la práctica política, y en donde el olvido y la indiferencia se imponen por sobre el reconocimiento del dolor ajeno. Dicho esto de otro modo: Agüero pide perdón porque sabe que la militancia de sus padres desencadenó, directa o indirectamente, una violencia condenable que dio lugar a sufrimientos concretos. Esto es algo que no podría simplemente obviar, no si sostiene firmemente sus convicciones morales y políticas. Por ello el pedido de perdón no es aquí solo un ejercicio privado, sino que se relaciona con el reconocimiento de la necesidad de justicia y, por tanto, se convierte en una práctica política. En otro lugar, Agüero ha reflexionado en este sentido al afirmar que el perdón puede ser un "horizonte válido" "si implicara una condición previa: que exista la posibilidad de perdonar. Porque perdonar necesita verdad y conocimiento de lo sufrido. Sólo entonces el acto de renuncia no sería una trampa, sino uno político y ético. Una decisión y no un chantaje" (2012: 58).

2. Ponerse en juego

A lo largo de estos cuestionamientos a los discursos públicos estereotípicos que condicionan la experiencia de la vida personal, Agüero hace referencia a la acción del *rendirse*. Comúnmente, asumiríamos que la actitud del rendido es una con la que nadie quiere identificarse. En efecto, entendemos peyorativamente que el rendido es un cobarde, un sujeto incapaz de mantenerse en actitud de lucha hasta las últimas consecuencias, alguien en quien no se puede confiar, pues podría vender su posición a cambio de esquivar cualquier sufrimiento. El rendido pierde respeto y dignidad, queda manchado con la marca del miedo y ya no es capaz de asociarse con los demás, quienes ven en él a un posible traidor. Por eso, nadie quiere ser un rendido, no al menos públicamente. Vale más presentarse como quien resiste y mantiene intacta su posición de valentía. Todas estas ideas del sentido común nos confunden con respecto a la propuesta de Agüero. ¿Por qué insiste en identificarse con una figura que, a primera vista, no trae más que desaprobación?

En un ejercicio cargado de sentido poético y trasgresor, Agüero redistribuye los valores del rendirse y recupera, al menos para las circunstancias de su caso personal, una virtud de lo que es normalmente un defecto. La operación es compleja y ambivalente, porque supone una decisión personal en la que no solo hay que enfrentarse a los sentidos públicos compartidos, sino además a las propias limitaciones. El rendirse al que los textos aluden presupone una lucha en la que se resiste a fuerzas que impiden el desarrollo sincero de uno mismo. El rendido, según entiendo, cede al enfrentamiento con esas fuerzas; pero su ceder no es pasivo, no es una simple renuncia. Agüero cree en un proceso en el que se deja de batallar contra la necesidad de esconder la propia singularidad bajo los velos de los estereotipos hegemónicos; el rendirse, por ello, tendría que ver con la apertura de espacios en los que sea posible *revelar más auténticamente la identidad*. Así, el rendido es en este caso el que se atreve a hacer algo, el que propone nuevas formas de relaciones y, por lo tanto, permite que *aparezca públicamente* lo que antes se encontraba nublado por los prejuicios.

Cuando reflexiona sobre su condición de víctima, Agüero se refiere a una lucha en la que existen resistencias en sí mismo a ponerse del lado de quienes han sufrido la pérdida y se encuentran vulnerables. Nos dice, con acentuada ambivalencia: "Yo no soy una víctima. Esto que me pasó fue parte de otro proceso. Es un hecho brutal que no ha fundado mi identidad. Pero quizá, quizá, solo sentí este rechazo [a ser identificado como víctima] porque *no estaba listo para rendirme*".[3] No estaba listo para abandonar la posición más segura del luchador por los derechos humanos, del intelectual que examina la historia reciente, del hombre solidario que realiza su tarea con altruismo. Rendirse sería, entonces, asumir de lleno una identidad que no está intacta, que más bien ha perdido algo y por ello *puede ser presentada como víctima*. Pareciéramos llegar aquí a algo concreto, pero como todo en los textos de Agüero, la cuestión es bastante más compleja: "Entiendo que algunos se esfuercen en no pensar más en términos victimocéntricos. Yo planteo el camino inverso. Ser una víctima por primera vez, para poder tener la oportunidad de perdonar y, luego, rendirme. *Dejar de serlo* para entregarme completamente a la censura, la mirada y la compasión de los demás".[4] Vamos paso a paso: rendirse para ser víctima; ser víctima para ser capaz de perdonar; perdonar para rendirse; rendirse para dejar de ser víctima; dejar de serlo para entregarse *sinceramente* a la mirada de los demás.

---

3.   Las cursivas son mías.
4.   Las cursivas son mías.

No hay aquí un trabalenguas. El reto, me parece, no se encuentra en intentar dar con la cadena lógica que une cada uno de los pasos a recorrer en la vida. Si se tratara de esto, terminaríamos formulando un sistema de comportamiento que funcionaría como remedio. Tal no es, evidentemente, la propuesta de Agüero. Intentemos, más bien, comprender el asunto en un sentido más holístico. Existe una dependencia íntima entre cada uno de los elementos aludidos: el rendirse supone la posibilidad de perdonar, del mismo modo que entrar a las dinámicas del perdón requiere del rendirse y, por tanto, de asumir la identidad de la víctima. No hay aquí una cadena de sucesiones, sino una mutua relación de dependencia entre cada una de las acciones: el rendirse, el aparecer como víctima, el perdonar, todas ellas suponen una actitud sincera y la capacidad para ingresar a los discursos públicos. Por ello, del rendirse (sinceridad) pasamos a la víctima (vulnerabilidad) y del perdón (el desprendimiento personal que depende del reconocimiento intersubjetivo) de vuelta al rendirse. En el fondo, ninguna de estas acciones podría realizarse independientemente, una detrás de la otra o en contextos distintos. Todas tienen que ver con la identidad en conjunto.

Una importante ambivalencia queda todavía por comentar: Agüero alude al *ser víctima* para perdonar y rendirse, para que entonces sea posible *dejar de ser víctima*. El proceso me parece importante y tal vez podamos comprenderlo mejor si recordamos con más detalle la postura que tiene el autor con respecto a la figura de la víctima en los estudios sobre la memoria. Para él, si lo sé comprender, el reconocimiento de la víctima es necesario en tanto que se pone a la luz la pérdida que alguien ha sufrido y, por tanto, no se deja a la persona con la carga íntima de su padecer. Si no se da tal reconocimiento, se comete una injusticia, porque la comunidad sigue viviendo como si nada hubiera pasado dentro de ella, invisibilizando el perjuicio cometido contra uno de sus miembros. Pero además, Agüero ha afirmado que las críticas contra las posturas victimocéntricas tienen cierta razón en tanto que buscan dejar de lado la diferencia simple entre víctima y victimario, además de impedir que las víctimas queden representadas como sujetos sin agencia. Así entonces, una vez que se reconoce con justicia a las víctimas, es posible superar tal categoría antes de que se convierta en estereotipo. Hay aquí, podríamos decir, un *atravesar* la identidad de la víctima: pasar por ella para reconocer la pérdida, pero no fijarla para evitar caricaturización. Es tal vez en este mismo sentido que podemos comprender a Agüero cuando dice de sí mismo que puede ser víctima para perdonar, rendirse y entonces dejar de ser víctima. Es decir, asumir la pérdida para que se reconozca en él aquello que ha sido invisibilizado o estigmatizado, pero no hacer de esa pérdida un motivo para el lamento desconsolado o la lástima caritativa, sino una posibilidad de la expresión y acción más auténticas frente a los demás y a uno mismo. Ser reconocido como víctima para, a partir de ello, posicionarse más complejamente en los discursos públicos.

Pienso, entonces, que podríamos observar dos niveles en el rendirse: el ser víctima como una apertura al reconocimiento sincero de la pérdida (la vulnerabilidad); y el dejar de ser víctima como una apertura a la acción pública (ingresar en las dinámicas intersubjetivas más allá del estereotipo). Si hay algo de cierto en esta lectura, la ambivalencia del rendido consiste en que por un lado necesita posicionarse como un sujeto que posee una identidad singular, mientras por otro lado —a la vez— necesita exigir condiciones discursivas en las que sea posible ir más allá del estigma maniqueo. Intimidad y publicidad se dan la mano en esta propuesta. Tal vez el siguiente pasaje nos muestre mejor esta complejidad: "Creo que debo *recuperar mi herencia*, sin mitificar a Sendero, tampoco humanizándolo, reconstruyendo su experiencia compleja, pero *sin conceder una mentira* a la presión de los poderes que han triunfado, que no siempre pueden resumirse como el triunfo de la Democracia".[5] El entregarse a la sinceridad no es un acto pasivo; no se trata de rendirse a ser devorado por los estereotipos. El rendido se encuentra consigo mismo y asume una identidad que no obedece a lo que los discursos hegemónicos exigen de ella, sino que está siempre dispuesta a revelar lo nunca antes expresado, lo que rompe con el sentido común y *hace aparecer lo que parecía improbable*.

Así pues, el rendirse al que alude Agüero puede ser leído como una acción política, una demanda en la que no se pone en juego solo la identidad personal, sino también la *pluralidad*, las palabras y los silencios *compartidos*. No hay prácticas y valores verdaderamente democráticos mientras los espacios públicos le nieguen a ciertas singularidades, a ciertas herencias personales, la opción a revelarse auténticamente. Esto es lo que hace del rendirse una acción tan compleja como rica: tiene que ver con la particularidad del sujeto, pero a la vez

---

5.   Las cursivas son mías.

me parece una auténtica (aunque tal vez implícita) propuesta política en la que los valores de la sinceridad individual y el reconocimiento público se asocian en mutua dependencia. En ese sentido, tal vez podría aventurarme a afirmar que cuando Agüero nos dice que no es él quien ocupa o abandona la casa, sino ella la que lo habita a él, hace referencia a un asunto sobre el que no solo tendría que hacerse responsable el *yo fragmentado* de los textos, sino también el *nosotros plural* que los lee.

Bibliografía

AGÜERO, José Carlos

2012   "Amnistía". En: López, Miguel y Eliana Otta (eds.). *¿Y qué si la democracia ocurre?* Lima: Delmasacá.

ARENDT, Hannah

2011   *La condición humana*. Barcelona: Paidós.

BUTLER, Judith

2006   "Violencia, duelo, política". En: *Vida precaria. El poder del duelo y la violencia*. Buenos Aires: Paidós, pp. 45-77.

FREUD, Sigmund

2000   *Tótem y tabú. Algunas concordancias en la vida anímica de los salvajes y de los neuróticos*. Buenos Aires: Amorrortu.

Bibliografía

ARONÉS, Mariano

2012   "*Si no matas, te matan*" *Memoria y drama del servicio militar en el contexto de la guerra interna en el Perú.* Lima: Presentado al Grupo memoria en octubre de 2012.

ASENCIOS, Dynnik

2012   *Los nuevos jóvenes senderistas (en Lima). Aproximaciones a las motivaciones para una decisión radical.* Lima: Presentado en el Grupo Memoria en septiembre de 2012.

ASIMOV, Isaac

1969   *Nueve futuros.* Barcelona: EDHASA.

CABRERA, Teresa

2010   *Sueño de pez o neblina.* Lima: Álbum del Universo Bacterial.

Comisión de la Verdad y Reconciliación
2003   *Informe final*. Lima: CVR.

Dagerman, Stig
2007 [1952] *Nuestra necesidad de consuelo es insaciable*. España: Logroño.

Degregori, Carlos Iván
2011   *Qué difícil es ser Dios. El partido comunista del Perú-Sendero Luminoso y el conflicto armado interno en el Perú: 1980-1999, Obras escogidas*, volumen I. Lima: Instituto de Estudios Peruanos.

2015   "Sobre la Comisión de la Verdad y Reconciliación en el Perú". En *No hay mañana sin ayer: Batallas por la memoria y consolidación democrática en Perú*. Lima: Instituto de Estudios Peruanos (en prensa).

Del Pino, Ponciano y José Carlos Agüero
2015   *Cada uno un Lugar de Memoria. Fundamentos conceptuales del Lugar de la Memoria, la Tolerancia y la Inclusión Social*. Lima: LUM.

Del Pino, Ponciano y Caroline Yezer (editores)
2013   *Las formas del recuerdo: Etnografías de la violencia política en el Perú*. Lima: Instituto de Estudios Peruanos / Instituto Francés de Estudios Andinos.

Gálvez, Antonio
2009   *Desde el país de las sombras*. Lima: SUR.

GAVILÁN, Lurgio
2012 *Memorias de un soldado desconocido: autobiografía y antropología de la violencia*. Lima: Instituto de Estudios Peruanos / Universidad Iberoamericana de México.

GOFFMAN, Erving
1963 *Estigma: la identidad deteriorada*. Buenos Aires: Amorrortu.

GONZÁLES, Eduardo
2013 *"Nuevas fronteras para el ejercicio de la memoria en el mundo, y en el Perú"*. Ponencia presentada en el Seminario Intcrnacional Políticas en Justicia Transicional. Lima.

IBÁÑEZ, Jordi
2009 *Antígona y el duelo*. Barcelona: Tusquets.

INSTITUTO DE ESTUDIOS PERUANOS
1965 *He vivido en vano. Mesa redonda sobre todas las sangres. 23 de junio de 1965*. Lima. Instituto de Estudios Peruanos.

JEBELEANU, Eugene
s/f "Canto a los muertos desconocidos de Hiroshima". En: *Breve antología de la poesía rumana*. Lima: Humboldt.

JELIN, Elizabeth
2012 *Los trabajos de la memoria*. Lima: Instituto de Estudios Peruanos.

KUNDERA, Milan
1985   *La insoportable levedad del ser*. México: Tusquets.

LEVI, Primo
2005   *La trilogía de Auschwitz*. Barcelona: El Aleph.

LEVINAS, Emmanuel
2011 (1978)*De otro modo que ser o más allá de la esencia*. Salamanca: Sígueme.

MANRIQUE, Marie
2014   "Generando la inocencia: creación, uso e implicaciones de la identidad de «inocente» en los periodos de conflicto y posconflicto en el Perú". En *Boletín del Instituto Francés de Estudios Andinos*. Lima.

OGLESBY, Elízabeth
2007   "Educating Citizens in Postwar Guatemala: Historical Memory, Genocide, and the Culture of Peace". *Radical History Review*, invierno de 1997.

PORTUGAL, Tamia et ál.
2015   "Lugares de memoria en el Perú: Batallas por el reconocimiento". En *No hay mañana sin ayer: Batallas por la memoria y consolidación democrática en Perú*. Lima: Instituto de Estudios Peruanos (en prensa).

REÁTEGUI, Félix (coordinador de la investigación)
2012   *Criterios básicos para un espacio de conmemoración de la violencia en el Perú: La centralidad de los derechos de las víctimas*. Lima: IDEHPUCP- Misereor.

REMARQUE, Erich Maria
1984 [1929] *Sin novedad en el frente*. Barcelona: Bruguera.

RICOEUR, Paul
2003   *La memoria, la historia, el olvido*. Madrid: Trotta.

SARLO, Beatriz
2005   *Tiempo pasado: Cultura de la memoria y giro subjetivo. Una discusión*. Buenos Aires: Siglo XXI.

SCORZA, Manuel
1970   *Redoble por Rancas*. Barcelona: Planeta.

STERN, Steve y Peter WINN
2013   "El tortuoso camino chileno a la memorialización (1990-2011)". En *No hay mañana sin ayer. Batallas por la memoria histórica en el cono Sur*. Lima: Instituto de Estudios Peruanos.

TODOROV, Tzvetan
2000   *Los abusos de la memoria*. Barcelona: Paidós.

UCEDA, Ricardo
2004   *Muerte en el pentagonito*. Los cementerios secretos del Ejército Peruano. Bogotá: Planeta.

ULFE, María Eugenia y Carmen ILIZARBE
2013   "Paloma y acero. Sibilia". En: *Noticias SER*. Disponible en: <http://bit.ly/1yX5ZUk>.

VIDAL-NAQUET, Pierre
1994   *Los asesinos de la memoria*. Madrid: Siglo XXI.

WIESEL, Elie
2013 [1958] *Trilogía de la noche*. Barcelona: Planeta.

Se terminó de imprimir en
los talleres gráficos de
LITHO & ARTE S.A.C.
Jr. Iquique 046 - Breña
Teléfonos: 332-1989 /332-8397 / 332-9077
E-mail: ventas@lithoarte.com
Febrero de 2016